統合失調症薬物治療
ガイドライン 2022

編集

日本神経精神薬理学会　　日本臨床精神神経薬理学会

医学書院

統合失調症薬物治療ガイドライン 2022

発　行	2022 年 6 月 15 日　第 1 版第 1 刷Ⓒ
	2023 年 11 月 15 日　第 1 版第 2 刷

編　集　日本神経精神薬理学会・
　　　　日本臨床精神神経薬理学会

発行者　株式会社　医学書院
　　　　代表取締役　金原　俊
　　　　〒113-8719　東京都文京区本郷 1-28-23
　　　　電話　03-3817-5600（社内案内）

印刷・製本　三美印刷

本書の複製権・翻訳権・上映権・譲渡権・貸与権・公衆送信権（送信可能化権を含む）は株式会社医学書院が保有します．

ISBN978-4-260-04987-0

本書を無断で複製する行為（複写，スキャン，デジタルデータ化など）は，「私的使用のための複製」など著作権法上の限られた例外を除き禁じられています．大学，病院，診療所，企業などにおいて，業務上使用する目的（診療，研究活動を含む）で上記の行為を行うことは，その使用範囲が内部的であっても，私的使用には該当せず，違法です．また私的使用に該当する場合であっても，代行業者等の第三者に依頼して上記の行為を行うことは違法となります．

JCOPY　〈出版者著作権管理機構　委託出版物〉
本書の無断複製は著作権法上での例外を除き禁じられています．複製される場合は，そのつど事前に，出版者著作権管理機構（電話 03-5244-5088，FAX 03-5244-5089，info@jcopy.or.jp）の許諾を得てください．

「統合失調症薬物治療ガイドライン2022」発刊にあたって

　このたび，日本神経精神薬理学会と日本臨床精神神経薬理学会が統合失調症の診療に関係する関連学会・協会のご協力を得て作成した「統合失調症薬物治療ガイドライン2022」を書籍化し，発刊する運びとなりましたので，その紹介を兼ねて一言ご挨拶申し上げます．

　2015年に最初の「統合失調症薬物治療ガイドライン」が日本神経精神薬理学会のホームページに公開され，2016年に初版の『統合失調症薬物治療ガイドライン』が書籍化されました．2016年からは医療職向けにガイドライン講習会を全国で開催し，2018年にはガイドラインの一般向け書籍として『統合失調症薬物治療ガイド―患者さん・ご家族・支援者のために』を公表し普及を図ってきました．

　本ガイドライン作成におきましては，エビデンスのアップデートに加えて，❶当事者・家族・支援者・各種関連団体との共同作成，❷包括的なガイドラインにするための統合失調症の治療計画策定の追加，❸ガイドラインの普及・教育・検証活動からのフィードバックの反映を行い，よりグレードアップすることを目指しました．今回の出版によりこのガイドラインが本邦の統合失調症治療にさらに少しでも貢献できるものとなれば，関係者一同の大きな喜びであります．出版に至るまでには，委員の献身的な努力と医学書院の担当者の方々の絶大なるご尽力があったことをここに付記し，この場を借りてあらためて皆様方に深謝申し上げます．

2022年6月

日本神経精神薬理学会・日本臨床精神神経薬理学会
統合失調症薬物治療ガイドラインタスクフォース共同代表

中込和幸

染矢俊幸

序文

1 統合失調症薬物治療ガイドライン作成の経緯

　2015年，日本神経精神薬理学会は「統合失調症薬物治療ガイドライン」を作成し公開した．2016年からは医療職向けにガイドライン講習会を開催し，2018年にはガイドラインの一般向け書籍として『統合失調症薬物治療ガイド―患者さん・ご家族・支援者のために』を公表し普及を図ってきた．これらの書籍，講習会を通じて多くの意見を得，また研究の進歩により新たなエビデンスが得られ情報の刷新が必要となった．このため，2018年より日本神経精神薬理学会と日本臨床精神神経薬理学会が，ガイドライン改訂作業に着手した．

　改訂版においては，新たなエビデンスによる情報の刷新だけでなく，新しい取り組みとして以下の2点を行った．

　最初に，当事者・家族・支援者・各種関連団体など多様なステークホルダーが委員となって，協働して作成した．精神科医の視点だけでなく，当事者・家族・支援者の視点からの臨床疑問〔クリニカル・クエスチョン（clinical question：CQ）〕やアウトカムの追加などが行われた．そして，本ガイドラインの内容は全員一致の原則を採用した．

　次に，統合失調症の治療は，薬物治療のみによるものではなく，心理社会的療法や医療福祉との協働など包括的に行う必要があるため，パート1「統合失調症の治療計画策定」にその点を明記して，CQの部分についてはパート2とした．

2 統合失調症薬物治療ガイドライン作成メンバー

　タスクフォースメンバーは日本医療機能評価機構EBM普及推進事業（Minds）の方法に準拠して役割を担った（所属は2022年1月31日付）．

共同代表
中込　和幸　　国立精神・神経医療研究センター
染矢　俊幸　　新潟大学大学院医歯学総合研究科精神医学分野

委員
飯田　仁志　　福岡大学医学部精神医学教室

伊賀　淳一	愛媛大学大学院医学系研究科精神神経科学講座
五十嵐　中	横浜市立大学医学群健康社会医学ユニット
池田俊一郎	関西医科大学精神神経科学教室
市橋　香代	東京大学医学部附属病院精神神経科
伊藤　賢伸	順天堂大学大学院医学研究科精神・行動科学
伊藤　侯輝	市立札幌病院精神科/精神医療センター
稲垣　中	青山学院大学教育人間科学部/保健管理センター
稲田　健	北里大学医学部精神科学
伊豫　雅臣	千葉大学大学院医学研究院精神医学
江角　悟	岡山大学病院薬剤部
大井　一高	岐阜大学医学部附属病院精神科
大島　勇人	特定医療法人勇愛会大島病院
大森　哲郎	社会医療法人あいざと会藍里病院
大矢　一登	藤田医科大学医学部精神神経科学講座
小田　陽彦	兵庫県立ひょうごこころの医療センター
越智紳一郎	愛媛大学大学院医学系研究科精神神経科学講座
蔭山　正子	大阪大学高等共創研究院
金沢　徹文	大阪医科薬科大学神経精神医学教室
岸　太郎	藤田医科大学医学部精神神経科学講座
岸本泰士郎	慶應義塾大学医学部ヒルズ未来予防医療・ウェルネス共同研究講座
菊地　紗耶	東北大学病院精神科
木村　大	千葉大学大学院医学研究院精神医学/学而会木村病院
久住　一郎	北海道大学大学院医学研究院精神医学教室
小鳥居　望	医療法人仁祐会小鳥居諫早病院
佐久間健二	藤田医科大学医学部精神神経科学講座
佐々木　剛	千葉大学医学部附属病院こどものこころ診療部
佐藤創一郎	社会医療法人高見徳風会希望ヶ丘ホスピタル
佐藤　英樹	国立精神・神経医療研究センター病院
澤山　恵波	北里大学医学部精神科学
鈴木　利人	順天堂大学医学部附属越谷病院メンタルクリニック
鈴木　正泰	日本大学医学部精神医学系
諏訪　太朗	京都大学医学部附属病院精神科神経科
高江洲義和	琉球大学大学院医学研究科精神病態医学講座
竹内　啓善	慶應義塾大学医学部精神・神経科学教室
嶽北　佳輝	関西医科大学精神神経科学教室
竹島　正浩	秋田大学大学院医学系研究科精神科学講座
田近　亜蘭	京都大学大学院医学研究科健康増進・行動学分野

樽谷精一郎	特定医療法人大阪精神医学研究所新阿武山病院
坪井　貴嗣	杏林大学医学部精神神経科学教室
冨田　　哲	弘前大学医学部附属病院神経科精神科
中川　敦夫	慶應義塾大学病院臨床研究推進センター
永井　　努	昭和大学薬学部病院薬剤学講座・昭和大学附属烏山病院薬局
沼田　周助	徳島大学大学院医歯薬学研究部精神医学分野
根本　清貴	筑波大学医学医療系精神医学
野村　郁雄	もりやま総合心療病院
橋本　保彦	神戸学院大学
橋本　亮太	国立精神・神経医療研究センター精神保健研究所精神疾患病態研究部
波多野正和	藤田医科大学医学部臨床薬剤科
菱本　明豊	横浜市立大学大学院医学研究科精神医学部門
古郡　規雄	獨協医科大学精神神経医学講座
堀　　　輝	福岡大学医学部精神医学教室
松井健太郎	国立精神・神経医療研究センター病院臨床検査部
松田　勇紀	東京慈恵会医科大学精神医学講座
三浦　　至	福島県立医科大学医学部神経精神医学講座
村田　篤信	国立精神・神経医療研究センター精神保健研究所精神疾患病態研究部
安田　貴昭	埼玉医科大学総合医療センターメンタルクリニック
山田　浩樹	昭和大学横浜市北部病院メンタルケアセンター
渡邉　央美	国立成育医療研究センター妊娠と薬情報センター

当事者委員

相沢　隆司	横浜ピアスタッフ協会/地域活動支援センターすぺーす海
鈴木みずめ	横浜ピアスタッフ協会
藤井　哲也	横浜ピアスタッフ協会
堀合研二郎	横浜ピアスタッフ協会
山田　悠平	一般社団法人精神障害当事者会ポルケ

当事者家族委員

岡田久実子	全国精神保健福祉会連合会（みんなねっと）
加藤　　玲	東京都新宿区精神障害者家族会「新宿フレンズ」
中越由美子	さいたま市精神障がい者「もくせい家族会」/LINE 家族会「Pure Light」

日本精神科看護協会委員

畠山　卓也	駒沢女子大学看護学部

日本作業療法士協会委員

小林　正義　　信州大学医学部保健学科

日本精神保健福祉士協会委員

稲見　　聡　　医療法人報徳会宇都宮病院総合支援課

日本心理臨床学会委員

藤野　陽生　　大阪大学大学院大阪大学・金沢大学・浜松医科大学・千葉大学・福井大学連合小児発達学研究科

日本精神科病院協会委員

森　　隆夫　　あいせい紀年病院

日本精神神経科診療所協会委員

勝元　榮一　　かつもとメンタルクリニック

日本総合病院精神医学会委員

佐竹　直子　　国立精神・神経医療研究センター病院

法曹委員

武市　尚子　　東京弁護士会

基礎医学研究者委員

新井　　誠　　東京都医学総合研究所精神行動医学研究分野統合失調症プロジェクト

日本統合失調症学会協力委員

池淵　恵美　　帝京平成大学大学院臨床心理学研究科
笠井　清登　　東京大学大学院医学系研究科精神医学
福田　正人　　群馬大学大学院医学系研究科神経精神医学
村井　俊哉　　京都大学大学院医学研究科脳病態生理学講座（精神医学）

　　ガイドライン統括委員会は，共同代表と若干名の日本神経精神薬理学会と日本臨床精神神経薬理学会を代表する委員が構成し，本ガイドライン作成の目的を明確化し，組織体制の構築を行い，ガイドライン作成，公開，普及を主導する役割を担った．
　　ガイドライン作成委員会は，20名程度の日本神経精神薬理学会と日本臨床精神神経薬理学会のガイドライン作成に関する経験が豊富な精神科医の委員が務めた．当事者・家族・支援者・関連学会・協会の委員は，外部委員という形ではなく，ガイドライン作成委

員会委員として議論に加わって評価を行い，双方向性に本ガイドラインの作成に参加した．精神科医の委員のうち十数名は各システマティックレビューチームのリーダー・副リーダーを兼任し，システマティックレビューチームとガイドライン作成委員会の橋渡しの役割を務めた．システマティックレビューチームはガイドライン作成委員としての協議に加えて，システマティックレビューを担当した．残りの精神科医の委員は，ブラッシュアップチームを構成し，各システマティックレビューチームのリーダー・副リーダーと当事者・家族・支援者・関連学会・協会の委員の意見の調整を行って全体の統一性を持たせる役割を担った．

　これらの委員の構成については，巻末に記載した（→ 167 頁）．

3　利益相反情報について

　本ガイドライン作成委員会は，作成メンバーが中立性と公平性をもって作成業務を遂行するために，実際または予想されうる問題となる利益相反状態を避けることに最大限の努力を払っている．すべての作成メンバーおよび作成した学会は可能性としてまたは実際に生じる利益相反情報の開示を行う．開示の基準は日本医学会の「診療ガイドライン策定参加資格基準ガイダンス」に従い，対象期間を 2019 年 1 月 1 日～2021 年 12 月 31 日とした．

　ガイドライン作成メンバーの利益相反情報およびガイドライン作成を行った日本神経精神薬理学会と日本臨床精神神経薬理学会の組織としての利益相反情報は巻末に記載した（→ 171 頁）．

4　統合失調症薬物治療ガイドラインタスクフォース会議開催状況

2018 年 10 月 6 日	第 1 回会議
2018 年 12 月 23 日	第 2 回会議
2019 年 5 月 12 日	第 3 回会議
2019 年 11 月 23 日	第 4 回会議
2020 年 1 月 13 日	第 5 回会議
2021 年 11 月 14 日	第 6 回会議

　これらに加えて，オンラインでの小会議を繰り返し行った．

作成中間報告と公開討論
2019 年 10 月 11 日（金）

シンポジウム「統合失調症薬物治療ガイドライン改訂版の狙いと範囲」
於：第49回日本神経精神薬理学会，福岡

5 本ガイドラインの考え方

⑴ 対象

　本ガイドラインは，統合失調症の診療に関わる精神科専門医を主な対象として作成されたエビデンスに基づいたガイドラインである．本ガイドラインの内容は，精神科専門医が診療現場において当事者や家族と共に意思決定を行う際に，それを支援する目的で作成され，日常診療の場面で利用されることを望むものである．なお，本ガイドラインを公開後に，当事者・家族・支援者のための「統合失調症薬物治療ガイド」を作成することを計画している．

⑵ ガイドラインの構成

　本ガイドラインは，序文と，総論であるパート1「統合失調症の治療計画策定」，各論であるパート2「CQ」の3部から構成されている．パート1は，「第1章　統合失調症の診断と鑑別診断」「第2章　統合失調症の治療総論」「第3章　患者さんと共に人生を考える—本ガイドラインの位置づけ—」から構成されている．パート2は，「第1章　急性期の統合失調症治療」「第2章　安定・維持期の統合失調症治療」「第3章　抗精神病薬の薬剤性錐体外路系副作用」「第4章　抗精神病薬のその他の副作用」「第5章　治療抵抗性統合失調症」「第6章　その他の臨床的諸問題1」「第7章　その他の臨床的諸問題2」から構成されている．

⑶ 統合失調症の診断

　本ガイドラインでは，統合失調症の診断は確定しているものとしている．実際の臨床場面においては，統合失調症の診断を下すために，器質性疾患の除外や気分障害などの他の精神疾患の除外が慎重になされる必要がある．似た症状を認めても統合失調症ではない場合は，このガイドラインは適応できない．また，統合失調症という診断であっても併存疾患などをもつために，このガイドラインの内容がそのままあてはまらない場合もある．診断についてはパート1「統合失調症の治療計画策定」の「第1章　統合失調症の診断と鑑別診断」に記載した（→3頁）．熟読した上で各論であるパート2のCQを活用していただきたい．

⑷ 統合失調症における包括的な治療の必要性

　統合失調症の治療は，心理社会的療法と薬物治療を組み合わせて行うことが大前提である．さらに，信頼し合える人間関係や安定した生活などから得られる安心感が専門的な治

療の基盤になる．このような心理社会的療法については，パート1「統合失調症の治療計画策定」の「第2章　統合失調症の治療総論」で主に扱い，薬物治療については，パート2の各CQにおいて主に扱っていることを理解して，包括的にこのガイドラインを活用していただきたい．

(5) ガイドラインと共同意思決定（shared decision making：SDM）について

すべての疾患の治療と同様に統合失調症の治療選択においては，治療の有効性（益）と副作用（害）のバランスを勘案し，益が害を上回ると判断された場合にのみ有用性があるとして選択される．本ガイドラインもこの考え方に立脚し，益と害についてエビデンスを収集し，推奨を決定している．臨床現場における意思決定は，医療者と患者が複数の治療選択肢の利点と欠点を共有して，双方向で相談して共同して決定するべきものであり（これをSDMという），その際に共有するエビデンスを提供するものがガイドラインである．

パート1「統合失調症の治療計画策定」の「第3章　患者さんと共に人生を考える—本ガイドラインの位置づけ—」に記載されているように，本ガイドラインがSDMを支援するものとなることを望む．

(6) ガイドラインは一般論であること

診療ガイドラインとは，患者と医療者を支援する目的で作成されており，臨床現場における意思決定の際に，判断材料の1つとして利用することができるものである．ガイドラインは，科学的根拠に基づき，系統的な手法により，複数の治療選択肢について，益と害の評価に基づいて作成された推奨を含む文書であって，最新の根拠に基づき刷新していくものである．

この科学的根拠はエビデンスと呼ばれるが，あくまでもある状態の患者に対する確率論的な情報である．よって，個々の患者にそのまま適応されるものではない．さらに，エビデンスのもとになる患者は，統合失調症で併存疾患などがない患者であることが多く，詳細については根拠となる論文を確認する必要がある．よって，患者一人一人についての個別の状況によっては，必ずしも推奨が当てはまらない場合もありうる．ガイドラインは臨床現場における意思決定の際に，判断材料の1つとして利用することができるものであり，医師の裁量を肯定し，絶対に守らなければならないルールではないことを理解してこのガイドラインを活用していただきたい．訴訟等司法の分野において法的判断の証拠として用いることは，このガイドラインの誤用である．

(7) 最新版の利用と全体の通読の必要性

本ガイドラインタスクフォースでは，新たな重要な情報，適切なコメントを受けて，ガイドラインを適宜更新する予定である．ガイドラインは常に最新版（ウェブサイトにて公開）を利用していただきたい．

統合失調症の治療においては，薬物治療のみならず，心理社会的療法を含めた包括的な

治療が必要である．また，病状の経過において，さまざまな対応が必要となる．本ガイドラインは薬物治療について，病期を分けて記載している．しかし，本ガイドラインの利用に際しては，一時期のみを取り上げて利用するのではなく，まず全体を通読していただきたい．

⑻ ガイドライン普及の方策とモニタリング

利用者が利用しやすいように本ガイドラインは学会ウェブサイトにて無料で公開する．また，手に取って読みやすい本を作成して販売も行う．さらに，当事者・家族・支援者のための「統合失調症薬物治療ガイド」を作成することを計画している．精神科治療ガイドラインの普及・教育・検証活動である EGUIDE プロジェクト（https://byoutai.ncnp.go.jp/eguide/）を通じて，利用者がより深く本ガイドラインの内容を理解できるような講習会を行い，本ガイドラインの普及・教育・検証を推進する．このような EGUIDE プロジェクトにおけるガイドラインの講習会はガイドラインの普及促進要因である．また，ガイドラインの普及阻害要因としては，治療抵抗性統合失調症に推奨されているクロザピン治療が諸外国と比較して極端に普及していない理由として，諸外国と比較して処方に関する規制が厳しいことがある．また，ガイドラインの推奨の活用の普及の程度を QI（Quality Indicator：診療の質指標）として定義し（例：抗精神病薬の単剤治療率），毎年全国調査を行い評価する．この評価の結果を踏まえて，普及・教育の方法について毎年見直しを行って講習を行い，ガイドラインの改訂を行う．

6 本ガイドラインの作成手順

本ガイドライン作成の基本的な過程は，医療情報サービス（Minds）の『Minds 診療ガイドライン作成の手引き 2017』に則った．

統合失調症薬物治療ガイドラインタスクフォースにて，「統合失調症薬物治療ガイドライン」（最新は 2017 年改訂の Web 版）をもとに，これまでに得られた意見を集約して，スコープを定め，CQ を設定した．意見の集約においては，EGUIDE プロジェクトにおけるガイドラインの講習会や当事者・家族・支援者を対象とした統合失調症薬物治療ガイドの公表からのフィードバックなどを検討した．スコープと CQ の設定においては，委員の専門医としての意見に，当事者とその家族を含む関係者の意見を取り入れ，日本の精神医療の現状に即したものとした．アウトカム設定を含む CQ は，2019 年 5 月 12 日の会議にて決定した．

ガイドラインタスクフォース各作業班は，CQ ごとに系統的レビューを行い，エビデンス総体の評価を行った．網羅的な検索を行うため，PubMed，Cochrane Library，医中誌 Web の 3 つの文献データベースを検索した．文献検索は，2019 年 12 月までに行われ，必要に応じて検索するデータベースの範囲を広げ，すでに公表されている海外のガイドラ

インも参照した．本邦における統合失調症治療のためのガイドラインであるため，治療法や予防法については，文献検索期間までに日本で実施可能なもののみを対象とした．なお，文献検索の検索式と範囲を記録し，学会のウェブサイトに公開することにした．

系統的レビューの結果からエビデンス総体を統合する際には，無作為化比較試験（randomized controlled trial：RCT）のエビデンスを重視した．RCTに基づいて，主要なアウトカムと少なくとも1つずつの益と害のアウトカムについてエビデンス総体を評価できたものを「**推奨**」とした．RCTに基づくエビデンス総体が不十分な場合には「**準推奨**」として記載した．RCTのみでのエビデンス総体の統合は，RCTを行うことが困難なCQの評価，長期的なアウトカムについての評価などが困難であるため，観察研究を用いてエビデンスを補完した．多くのエビデンスレベルの高い研究は，合併症などのない研究参加の同意取得可能な程度の症状と社会機能を有する統合失調症患者を対象として，プラセボと対象薬剤の単剤治療（他の薬剤との併用がない）の比較を，認可されている用量で毎日服用し，4～8週もしくはそれ以上の期間にて行っている．よって，特別な条件が記載されていない限りは，本ガイドラインのエビデンスは，このような統合失調症における該当薬剤の単剤治療という条件におけるものである．統合失調症薬物治療ガイドラインタスクフォース各作業班は，CQごとの推奨文案をエビデンス総体の評価（エビデンス総体の総括，益と害/リスクのバランス，コストや資源の利用など）に基づいて作成した．CQの系統的レビューならびに推奨文案作成の適切性を確保するため，ガイドラインタスクフォース各作

表1 系統的レビューの方法とエビデンス総体の統合

	系統的レビューの方法	エビデンス総体の統合	推奨（準推奨）の記載
推奨	・文献検索の結果，RCTの系統的レビューとメタ解析を確認し，採用した． ・一部のアウトカムに関しては，ハンドサーチにより確認されたRCTや観察研究によるエビデンスにて補足した．	・重要なアウトカム（益と害のアウトカムそれぞれ1つ以上）に関するRCTの系統的レビューによるエビデンス総体を統合した．	・RCTに基づくエビデンス総体のアウトカムを，推奨の強さ（1＝強く推奨，または2＝弱く推奨）と，エビデンスの強さ（下表：A～D）にて記載した．
準推奨	・文献検索の結果，RCTによるエビデンス総体を統合できるだけの十分なエビデンスが得られなかった． ・ハンドサーチによって得られた観察研究とエキスパートオピニオンの結果を採用した．	・重要なアウトカム（益と害のアウトカムを1つ以上）についてのエビデンス総体が作成できないため統合はできない．	・推奨の強さ1または2と，エビデンスの強さは記載しない．

表2 エビデンスの強さ

A	強い	真の効果が，推測する効果に近いと確信できる
B	中等度	真の効果が，推測する効果に近いと考えられるが，結果的に異なる可能性が残る
C	弱い	真の効果が，推測する効果に近いと考えられるが，結果的に異なる可能性がある
D	とても弱い	推測する効果は大変不明瞭で，真の効果とかけ離れることがしばしばある

業班で内部検討を行った．

CQごとの推奨文案は，統合失調症薬物治療ガイドラインタスクフォース委員が推奨度決定会議にて他のガイドラインとの整合性も考慮しながら検討し，全員のコンセンサスにて，2020年1月13日に決定された．ガイドラインブラッシュアップチームは，承認されたCQ，推奨文，解説文についてエビデンスの精査を行い，解説文の全体の一貫性，用語などの統一を図った．日本精神神経学会ガイドライン検討委員会との連携，日本神経精神薬理学会，日本臨床精神神経薬理学会会員および協力団体，およびウェブサイトを通じて一般にパブリックコメントを聴取し，これらの意見を取り入れた改訂を行った．

最終版は全メンバーから2022年4月14日に承認を得た．

2022年4月23日に両学会理事会の承認を得た．

7 免責事項

本ガイドラインは，統合失調症治療に関する現時点でのエビデンスに基づいた知見を提供し，診療現場における意思決定を支援する目的で作成されたものである．治療を決定づけるものではなく，時と場合に応じてガイドラインに縛られずに治療者の裁量で治療を工夫することが望まれる．本ガイドラインを法的過失の判断の根拠として使用することは明らかに誤用である．

8 公開と改訂

本ガイドラインは，概ね4年ごとの改訂を計画している．次回は2026年に改訂予定である．それまでに内容を改訂すべき重要な知見が得られた場合は，部分改訂を行うことを検討する．

2022年5月20日　公開

目次

パート1 統合失調症の治療計画策定 ... 001
- 第1章 統合失調症の診断と鑑別診断 ... 003
- 第2章 統合失調症の治療総論 ... 011
- 第3章 患者さんと共に人生を考える —本ガイドラインの位置づけ— ... 019

パート2 統合失調症治療の臨床疑問（CQ） ... 025

第1章 急性期の統合失調症治療 ... 027
- **CQ 1-1** 急性期の統合失調症に抗精神病薬治療は有用か？ ... 028
  - CQ1-1 補記　本ガイドラインに登場するEBM・臨床疫学用語 ... 030
- **CQ 1-2** 急性期の統合失調症で抗精神病薬の効果が不十分な場合に、切り替えと増量のどちらが適切か？ ... 034
- **CQ 1-3** 急性期の統合失調症で抗精神病薬の効果が不十分な場合に、抗精神病薬単剤治療と抗精神病薬の併用治療とどちらが適切か？ ... 037
- **CQ 1-4** 急性期の統合失調症で抗精神病薬の効果が不十分な場合に、抗精神病薬単剤治療と抗精神病薬以外の向精神薬との併用治療はどちらが適切か？ ... 040

第2章 安定・維持期の統合失調症治療 ... 043
- **CQ 2-1** 安定した統合失調症に抗精神病薬の中止は推奨されるか？ ... 044
- **CQ 2-2** 安定した統合失調症に抗精神病薬の減量は推奨されるか？ ... 046
- **CQ 2-3** 安定した統合失調症に抗精神病薬の投与間隔延長と間欠投与は推奨されるか？ ... 048
  - CQ2-3 補記　服薬の方法 ... 050
- **CQ 2-4** 統合失調症の維持期治療に、第一世代抗精神病薬と第二世代抗精神病薬のどちらが有用か？ ... 051
- **CQ 2-5** 統合失調症の維持期治療に、抗精神病薬の持効性注射剤は有用か？ ... 053
  - CQ2-5 補記　持効性注射剤（LAI）と服薬アドヒアランス ... 056

第3章 抗精神病薬の薬剤性錐体外路系副作用 ... 057

- **CQ 3-1** 抗精神病薬による薬剤性パーキンソン症状に推奨される治療法および予防法は何か？ ... 058
  - **CQ3-1 補記** 抗精神病薬の薬剤性錐体外路系副作用 ... 061
- **CQ 3-2** 抗精神病薬による急性ジストニアに推奨される治療法および予防法は何か？ ... 063
- **CQ 3-3** 抗精神病薬によるアカシジアに推奨される治療法および予防法は何か？ ... 066
  - **CQ3-3 補記** ペアワイズメタ解析とネットワークメタ解析 ... 069
- **CQ 3-4** 抗精神病薬による遅発性ジスキネジアに推奨される治療法および予防法は何か？ ... 071
- **CQ 3-5** 抗精神病薬による遅発性ジストニアに推奨される治療法および予防法は何か？ ... 074

第4章 抗精神病薬のその他の副作用 ... 077

- **CQ 4-1** 悪性症候群に推奨される治療法および予防法は何か？ ... 078
  - **CQ4-1 補記** 悪性症候群（NMS） ... 082
- **CQ 4-2** 抗精神病薬による体重増加に推奨される治療法および予防法は何か？ ... 084
  - **CQ4-2 補記** 糖尿病の診断 ... 088
- **CQ 4-3** 抗精神病薬による便秘に推奨される治療法および予防法は何か？ ... 090
- **CQ 4-4** 抗精神病薬によるQT延長に推奨される治療法および予防法は何か？ ... 093
- **CQ 4-5** 抗精神病薬による性機能障害に推奨される治療法および予防法は何か？ ... 096

第5章 治療抵抗性統合失調症 ... 099

- **CQ 5-1** 治療抵抗性統合失調症におけるクロザピン治療は有用か？ ... 100
  - **CQ5-1 補記** 治療抵抗性統合失調症（TRS） ... 103
- **CQ 5-2** クロザピン治療が有効な症例に副作用が生じた際の対処法は何か？ ... 106
- **CQ 5-3** クロザピンの効果が十分に得られない場合の併用療法として何を選択すべきか？ ... 111
- **CQ 5-4** クロザピンを使用しない場合，治療抵抗性統合失調症に対して電気けいれん療法は有用か？ ... 113
  - **CQ5-4 補記** 統合失調症と電気けいれん療法（ECT） ... 117
- **CQ 5-5** 治療抵抗性統合失調症に対する，クロザピンや電気けいれん療法以外の有効な治療法は何か？ ... 121

第6章　その他の臨床的諸問題1 ... 125

- **CQ 6-1** 安定した統合失調症患者の不眠症状に対して鎮静作用のある向精神薬の使用は推奨されるか？ ... 126
  - CQ6-1 補記　睡眠衛生指導とは ... 128
- **CQ 6-2** 統合失調症患者の不安・不穏および不眠症状に対する抗不安作用・鎮静作用を有する向精神薬の頓服使用は推奨されるか？ ... 130
- **CQ 6-3** 過眠症状を有する統合失調症患者に対して抗精神病薬の変更・減量，または併用されている向精神薬の減量・中止は推奨されるか？ ... 133
- **CQ 6-4** 統合失調症の抑うつ症状にどのような薬物治療が有用か？ ... 136
- **CQ 6-5** 統合失調症の認知機能障害に推奨される薬物治療はあるか？ ... 139
  - CQ6-5 補記　認知機能障害の簡易な測定方法とその使い方 ... 142

第7章　その他の臨床的諸問題2 ... 145

- **CQ 7-1** 精神運動興奮状態に対して推奨される薬物治療はどれか？ ... 146
- **CQ 7-2** 統合失調症の緊張病に推奨される治療法はどれか？ ... 149
- **CQ 7-3** 病的多飲水・水中毒に対して推奨される薬物治療はあるか？ ... 152
- **CQ 7-4** 妊娠中の統合失調症に抗精神病薬は有用か？ ... 154
  - CQ7-4 補記　統合失調症が妊娠に与える影響 ... 157
- **CQ 7-5** 産後（授乳婦を含む）の統合失調症の女性に抗精神病薬は有用か？ ... 159
- **CQ 7-6** 初回エピソード精神病に抗精神病薬治療は有用か？ ... 161
  - CQ7-6 補記　初回エピソード精神病 ... 164

統合失調症薬物治療ガイドライン2022作成メンバーの役割 ... 167
利益相反情報 ... 171
　個人の利益相反情報 ... 171
　組織の利益相反情報 ... 175

索引 ... 179

パート1

統合失調症の治療計画策定

第 1 章
統合失調症の
診断と鑑別診断

1 はじめに

　統合失調症には，診断に役立つ身体症状や検査所見，さらには病勢を反映するバイオマーカーについてはいまだに確定的なものは発見されていないので，その診断は精神症状に頼らざるを得ない[1]．統合失調症には歴史的に特徴的とされる精神症状，例えばブロイラーの4A症状やシュナイダーの統合失調症一級症状があるが，これらは疾患概念であり診断基準ではない[2]．診断として感度，特異度の点から統合失調症と断定できる単一の精神症状は存在しないものの，統合失調症の臨床診断に役立つ特徴的な精神症状としては，主要精神症状のほか，自我障害，疎通性の障害および病識欠如がある[1]．自我障害は統合失調症に特有のものであり，この自我障害を中心にしたシュナイダーの統合失調症一級症状は統合失調症の診断にとって役立つことが多い．自我障害以外では疎通性の障害が重要である．疎通性の障害のある患者と面接した精神科医は，患者との意思の疎通，感情的共感が得られず，拒絶的あるいはプレコックス感とよばれる独特の印象を受ける．さらに病識欠如も統合失調症診断に役立つ．とはいえ，プレコックス感は現れないことがあるし，病識欠如は他の器質性脳疾患や精神疾患の際にも認められることがある．一方，統合失調症でも軽症例ではある程度自分の異常さに気づき，病感をもっていることもあるため病識欠如だけをもって統合失調症の診断はできない．さらには，近親者に明らかな統合失調症や何らかの精神疾患の遺伝要因があることも統合失調症診断の一助になる．

ブロイラーの4A症状[1]
- 思考障害における連合弛緩（思考のまとまりのなさ）
- 感情障害（感情の鈍麻，異常な敏感さなど）
- 自閉（外界との接触を避け自分の殻に閉じこもる傾向）
- 両価性（同一の対象に相反する感情を同時に抱くといった矛盾した感情の働き）

シュナイダーの統合失調症一級症状[1]
- 考想化声
- 話しかけと応答のかたちの幻聴
- 自己の行為に随伴して口出しをするかたちの幻聴
- 身体への影響経験
- 思考奪取やその他思考領域での影響体験
- 考想伝播
- 妄想知覚
- 感情や衝動や意志の領域に現れるその他のさせられ体験・影響体験

2　診断と評価のポイント

統合失調症の診断は，本人または家族との問診を中心に進められる．問診では，下記の項目などを中心に問診を行う．
① どのような症状が現れたか
② 症状はいつから始まったか
③ 症状がどのように経過したか
④ 社会・生活にどの程度の支障がみられるか

このほかにも，精神的現症として，意識，見当識，知的水準，思考，感情なども問診の中で評価する．成育歴，既往歴，家族歴，物質使用歴などの情報も診断には重要である．本人に病識がなく，意思の疎通が図りにくかったり，対人不信が強く拒否的な態度が往々にしてみられたりする場合，特に興奮状態にあると本人への問診が困難となることがある．その場合，家族への問診を中心に進める．さらに，身体的健康状態を確認するために，身長，体重，バイタルサイン，理学所見，神経学的所見などを評価する．ルーチンに行う検査としては，血液，尿検査，心電図などがある．

3　診断基準

診断基準としては米国精神医学会の「DSM-5」と世界保健機関（WHO）の国際疾病分類である「ICD-10」の2つがある．

身体疾患による精神疾患を除外するための以下のような検査は，問診・身体所見に応じて行うべきである．具体的な身体疾患に関しては鑑別診断で述べる．

- 血液検査（甲状腺機能，梅毒反応など）や尿検査
- 脳波検査（意識水準の評価など）
- CTやMRIによる脳画像検査
- その他（髄液検査など）

1　DSM-5[2, 3]

A．以下のうち2つ以上，おのおのが1か月間ほとんどいつも存在する．これらのうち少なくとも1つは（1）か（2）か（3）である．
　（1）妄想
　（2）幻覚
　（3）解体した言語
　（4）著しく異常な精神運動行動，例えばカタトニア
　（5）陰性症状，すなわち制限された情動，あるいは意欲喪失/社会性喪失

B．社会的・職業的機能の低下が認められる．

C. 何らかの徴候が6か月以上続く．
D. 統合失調感情障害と，「抑うつ障害または双極性障害，精神病性の特徴を伴う」が除外できる．
E. 物質（例：乱用薬物，医薬品）または他の医学的疾患の生理学的作用によるものではない．
F. 自閉スペクトラム症や小児期発症のコミュニケーション症の病歴があれば，統合失調症の追加診断は，顕著な幻覚や妄想が，その他の統合失調症の診断の必須症状に加えて少なくとも1か月存在する場合にのみ与えられる．

妄想：妄想とは，相反する証拠があっても変わることのない固定した信念である．その内容には多様な主題が含まれる（例：被害，関係，身体，宗教，誇大）．妄想と強固な考えとの区別は難しいことがある．そのような信念が真実であるということに矛盾するような，明白なまたは合理的な証拠があるにもかかわらず，その信念がどの程度の確信度で信じられているかが，妄想と強固な考えとの区別を決める1つの要素となる．

幻覚：幻覚は，外的刺激がないにもかかわらず起きる知覚様の体験である．幻覚は鮮明で，正常な知覚と同等の強さで体験され，意思によって制御できない．

解体した言語：まとまりのない思考（思考形式の障害）は一般にその人の会話から推測される．その人は，ある話題から別の話題にそれることがある（脱線または連合弛緩）．質問に対し，関係の少ない，またはまったく関係のない答えをすることもある（接点のないこと）．

著しく異常な精神運動行動：子どものような"愚かな"行動から予測できない興奮に至るまで多様なかたちで現れる．問題はあらゆる目標指向的な行動の中で見出され，日常生活の活動を遂行することさえ困難になる．

陰性症状：情動表出の減少と意欲欠如という2つの陰性症状が統合失調症で特に目立つ．情動表出の減少には，顔の感情表出，視線を合わせる，発語の抑揚（韻律）などの低下，会話の中で感情を強調するために通常みられるような手や首，顔の動きの減少が含まれる．意欲欠如は自発的な目的に沿った行動が減少することであり，長い時間じっと座ったままであったり，仕事や社会活動への参加に興味を示さなかったりする．

2 ICD-10[4]

統合失調症性障害の一般的特徴は，思考および知覚の基本的で特徴的な歪曲であり，感情の不適切または鈍麻である．通常は意識清明で知的能力は保たれているが，時間の経過とともに何らかの認知的欠損が発現し進展していくことがある．最も重要な精神病理学的症状としては考想化声，考想吹入または考想奪取，考想伝播，妄想知覚およびさせられ妄想，影響されまたは動かされる体験のかたちで患者本人を批評したり，話題にする幻声，思考障害および陰性症状がある．統合失調症性障害の経過は，持続性であるか，または挿間性であって進行性または継続性の欠陥を伴うか，あるいは完全または不完全な寛解を伴

う1回または複数のエピソードがあるかである.

顕著な抑うつ性または躁性の症状がある場合には,感情障害に先行して統合失調症症状があったことが明白でない限りは,統合失調症の診断をしない.また明らかな脳疾患が存在したり,あるいは薬物中毒または離脱状態の間も,統合失調症と診断しない.統合失調症に類似する障害がてんかんまたはその他の脳疾患,精神作用物質による類似の障害がある場合は別の疾患とするべきである.

4 鑑別診断[1]

DSM-5 でも ICD-10 でも統合失調症の診断を下す前に鑑別すべき疾患を除外することを求めている.以下に鑑別診断を挙げる.

1 短期精神病性障害との鑑別

この障害では統合失調症に似た症状が強いストレスの後2週間以内にみられるが,1日〜1か月程度しか持続しない.原因は不明で,強いストレスによって引き起こされる場合が明らかに認められる.症状は幻覚や妄想が優勢で統合失調症に類似するが,思考の障害はあまり認めない.急性かつ一過性に起こるのが特徴で,薬物治療を受けても受けなくても回復することも多い.一方,短期精神病性障害と診断された患者のおよそ30%が3年後に統合失調症に移行する.

2 統合失調症様障害との鑑別

統合失調症に似た症状が1か月以上続き,短期精神病性障害の診断基準を満たさなくなると統合失調症様障害と診断される.症状が6か月以上続くと統合失調症の診断を満たすが,双極性障害や統合失調感情障害に移行する場合もあり,暫定的な診断としての意味合いが強い.最終的に統合失調症様障害と診断された1/3の症例は6か月以内に回復し,2/3の症例は統合失調症あるいは統合失調感情障害と診断される.

3 妄想性障害との鑑別

妄想が持続的にみられるが,妄想以外の精神症状がほとんど認められない.妄想の内容はあまり突飛ではなく,後をつけられる,毒を入れられるといったように現実にあり得るものであったり,妄想の内容に関連する幻覚はあっても一過性であったり,断片的である.妄想の直接的な影響を除けば,心理社会的機能の障害は,統合失調症など他の精神病性障害にみられるものより限局しており,行動は奇異なところや,奇妙なところは目立たない.

4 統合失調感情障害との鑑別

統合失調症の活動期と気分エピソードが同時に存在する．気分症状が活動期全体の半分以上の期間において存在する必要がある．疾病の生涯持続期間中に気分エピソードを伴わない2週間以上の妄想や幻覚が存在する．陰性症状や病識欠如は統合失調症より軽い．

5 気分障害との鑑別

双極性障害の躁状態が陽性症状に，うつ状態が陰性症状に類似することから，ときに鑑別が難しい場合がある．大きな違いは統合失調症が「思考」の障害であるのに対して躁うつ病は「気分」の障害であることから，症状が気分に関連して変動する場合には双極性障害として鑑別が可能である．

6 パーソナリティ障害との鑑別

パーソナリティ障害には，社会的・感情的に他人を拒絶し，思考や認知，会話にみられる奇妙さを示す統合失調型パーソナリティ障害がある．ときに統合失調症に似た症状を現すことがあるが，症状の程度は統合失調症のそれよりも軽症で，統合失調症の診断基準を満たさない．統合失調症の発症前に基準が満たされている場合には「統合失調症型パーソナリティ障害（病前）」と記載される．その他のパーソナリティ障害についても，一時的に幻覚や妄想を呈する場合があり，鑑別が必要である．

7 身体疾患から生じる精神症状との鑑別

脳腫瘍，ウイルス性脳炎，側頭葉てんかん，せん妄，甲状腺疾患，一酸化炭素中毒などの身体疾患から統合失調症に似た精神症状が現れる．これらの身体疾患は脳画像検査や髄液検査などを行うことで明確に診断できることが多い．てんかんのもうろう状態には，統合失調症に似た幻覚妄想状態が出現することがあり，精神運動興奮，昏迷などもみられることがあり，もうろう状態が数日，数週など長く続くときには統合失調症との鑑別が困難となることがある．脳炎や一酸化炭素中毒による急性期の精神運動興奮が緊張型統合失調症との鑑別が困難となることがある．特に若年女性の抗NMDA受容体脳炎の初期には，抑うつ，無気力などが生じ，その後統合失調症に似た幻覚，妄想，痙攣，記憶障害，健忘が生じてくるため統合失調症と区別がつけにくい．脳炎後遺症ではパーキンソニズムによる仮面様顔貌，運動減少や，ときにみられる幻覚，妄想から統合失調症との鑑別が困難となることがある．認知症による物盗られ妄想や精神運動興奮などから統合失調症と鑑別が困難となることがある．

8 物質（薬物，アルコール，向精神薬など）の使用から生じる精神病症状との鑑別

コカイン，ニコチン，カフェイン，アンフェタミンやメタンフェタミンやMDMA，メチルフェニデートなどの精神刺激薬の使用によって幻覚や妄想が引き起こされることがあるため，薬物の使用歴が重要な情報となる．メタンフェタミンなどのいわゆる覚醒アミン

による中毒精神病では，意識障害はほとんどなく，精神病症状も統合失調症のそれに酷似していて，疎通性障害が統合失調症よりも少ないなど多少の差異はあるが，精神病症状だけからでは鑑別が困難な場合が多い．アルコール，有機溶剤，ベンゾジアゼピン受容体作動薬，ヘロインやアヘン，モルヒネといったオピオイド系の薬物や大麻などは中枢神経抑制薬に分類され，意識障害が軽い場合には統合失調症との鑑別が困難となることがある．さらに副腎皮質ステロイドや H_2 ブロッカーなどせん妄を誘発しやすい薬や，抗うつ薬やベンゾジアゼピン受容体作動薬など向精神薬の使用により精神病症状が出現することがあるため薬歴の聴取は重要となる．

9 解離症との鑑別

解離症の際には幻覚妄想状態や昏迷が出現することがあり，これらは統合失調症との鑑別を必要とすることがある．この種の解離症は，普通の社会生活の中でも起こるが，刑務所などにおける拘禁反応として出現することが少なくない．解離症では，精神的原因があり，その後の症状の推移が周囲の状況の変化に並行すること，病像に誇張的，被暗示性亢進など，心因反応の特徴が多少ともみられることなどにより鑑別できる．

10 知的障害・発達障害との鑑別

軽い知的障害患者は心因により解離症を起こしやすく，ときに緊張病性興奮や昏迷に似た状態を呈することがあるが，精神遅滞の存在や心因の存在，精神症状があまり長く続かないことなどから鑑別できる．知的障害の上に統合失調症が発生した接枝統合失調症と上記の解離性障害の鑑別は必ずしも容易でない場合があるが，統合失調症に固有の諸精神症状の確認によって鑑別する．

発達障害には，自閉スペクトラム症（autism spectrum disorder：ASD）や注意欠如・多動症（attention-deficit/hyperactivity disorder：ADHD）などがあるが，いずれも基本的には幼少期から症状がみられる．一方，統合失調症は思春期以降に，それ以前にはみられなかった統合失調症に特徴的な症状が現れる．発達障害でも幻覚や妄想がみられるが，一過性のことが多く，統合失調症のように持続しない．

5 下位分類

統合失調症の治療方針の策定のために重要な下位分類としては，治療抵抗性統合失調症の有無，認知機能低下の有無などがある．これらについては，この有無によって推奨される治療が異なるため，評価を行う必要がある．これらの評価の詳細及び，治療法については，パート2の該当するCQを参照していただきたい．

6 おわりに

　統合失調症の診断は，医師が主に臨床経過と精神症状を評価することにより行われているが，精神症状の評価が難しい場合も少なくない．よって，統合失調症の特徴を客観的に評価できる補助診断法の開発が望まれている．また，病識に乏しい統合失調症患者は，医師が診断の根拠とする幻覚や妄想などの精神症状を患者の主観的体験に基づき事実として認識するため，医師の診断を信じて治療を受けることが困難となる場合がある．このような客観的な補助診断法が開発されれば，統合失調症患者がより納得してより早期に治療を受けることができるようになることが期待される．

参考文献

1) 大熊輝雄（原著），「現代臨床精神医学」第12版改訂委員会（編）：現代臨床精神医学　第12版．金原出版，東京，2013
2) 日本統合失調症学会（監），福田正人，糸川昌成，村井俊哉，他（編）：統合失調症．医学書院，東京，2013
3) American Psychiatric Association（原著），日本精神神経学会（日本語版用語監修），髙橋三郎，大野　裕（監訳），染矢俊幸，神庭重信，尾崎紀夫，他（訳）：DSM-5 精神疾患の診断・統計マニュアル．医学書院，東京，2014
4) 融　道男，中根允文，小見山実，他（監訳）：ICD-10 精神および行動の障害―臨床記述と診断ガイドライン　新訂版．医学書院，東京，2005

第 2 章 統合失調症の治療総論

1 リカバリー（回復）という治療目標

最近の統合失調症治療の目標はリカバリー（回復）とされている．リカバリーには当事者個人の主観的なリカバリーと客観的なリカバリーがあり，それらの定義や評価方法はまだ議論されているところである．ただ基本的には症候学的寛解である臨床的回復（clinical recovery）を維持し，再発を予防し，身体的な健康を維持しながら，機能的回復（functional recovery）と個人的回復（personal recovery）に至るのを支援していくことが重要と思われる[1,2]．統合失調症患者において，客観的なリカバリーである臨床的回復と機能的回復の両者を満たし，どちらかが少なくとも2年以上継続するのは13.5%という報告がある[3]．リカバリーに至る者を増やすために，より効果的な支援方法，治療方法の開発が求められている．

2 回復を目指すための生物学的治療と心理社会的治療

統合失調症の治療目標であるリカバリーを目指すためには，当事者を中心にして家族，支援者，医療者をはじめとした多職種が協力して，生物学的治療・心理社会的治療を幅広く取り入れる包括的な治療が有用であり，不可欠である[4]．医療者は家族や支援者と協力して診察時以外の患者の生活の状態を知って支えていくことが望ましい．

生物学的治療は，脳に直接働きかけ，脳神経系の機能回復を促すもので，具体的には，薬物治療と電気けいれん療法が中心である．

心理的治療あるいは精神療法は，主に言葉でのやり取りを通じて，考えや感情，行動の変化を支援するものである．心理教育，認知行動療法（cognitive behavioral therapy：CBT），認知矯正療法（cognitive remediation therapy：CRT），社会生活スキルトレーニング（social skills training：SST）のように十分な訓練を積んだ者が施す特殊精神療法のみならず，日常における支援の基本的な姿勢や態度も重要な心理的治療である．

社会的治療は，全身に働きかけ，心身の相互作用を通じて心の状態を整えるものである．生活リズムを整えることが基本となり，入院治療の重要な役割はここにある．さらに退院後も生活を整え，社会生活へつなげていくために，精神科リハビリテーションとして作業療法やデイケア，職業リハビリテーションなどがある．また，包括的地域生活支援（assertive community treatment：ACT），訪問看護のような医療だけでなく，相談支援事業や就労系障害福祉サービス，グループホームやハローワーク，保健所，家族会や当事者会を通じたピアサポートや家族支援など，福祉領域を含む広範な社会資源を利用して包括的な支援が行われる．

3 薬物治療

1 抗精神病薬治療総論

　統合失調症の薬物治療は，抗精神病薬が基本となる．抗精神病薬の主たる薬理作用は，ドパミン D_2 受容体を介した神経伝達を調整することである．抗精神病薬の中にはドパミン D_2 受容体のほか，セロトニン受容体や α_1 受容体，ムスカリン受容体などへの作用を併せ持つものもあり，各種受容体への親和性は薬物の特徴を説明しうる．

　抗精神病薬の統合失調症に対する明らかな臨床効果は，陽性・陰性症状評価尺度（PANSS）で評価されるような精神症状を軽減することである[5]．長期にわたって服用を続けることによって，再発を減らし，生活の質（quality of life：QOL）を低下させないといったことも示されている．

　抗精神病薬の副作用には，ドパミン系に関連するものとして，①錐体外路系副作用（パーキンソニズム，遅発性ジスキネジア，遅発性ジストニアなど），②高プロラクチン血症による性機能障害（月経障害，乳汁分泌，射精障害など），③悪性症候群があり，他の神経系にも作用するものとして，④体重増加と脂質や糖代謝の異常，⑤便秘，⑥認知機能障害が挙げられる．

　統合失調症の薬物治療は，必要量の薬剤を上手に使いながら精神症状のコントロールや再発予防を行い，さらには社会的機能の回復および認知機能の改善を目指すという統合的な治療であるべきと考えられる．効果と副作用のバランスは重要であり，また長期的に服用を続けることによって得られる利益と不利益についても関心を持つべきであろう．統合失調症患者の平均余命は健常者よりも10～25年短いとされている[6]．その理由として不健康な生活スタイル，身体疾患の不十分な治療，高い自殺率が挙げられるが，さらに抗精神病薬治療の副作用も挙げられている．抗精神病薬は体重増加や血糖値上昇，脂質異常，心血管系の障害などを引き起こすリスクがある．健康な生活スタイルや身体疾患の適切な管理ができるようにするためにも抗精神病薬によって精神症状を改善して再発予防しようとしても，その抗精神病薬を継続的に服用することによって身体疾患のリスクを上げてしまう可能性がある．代謝系や心血管系のモニタリングとともに相対的にリスクが低い抗精神病薬を優先して選択することが望まれる．

2 抗精神病薬のアドヒアランスの重要性と有害作用

　抗精神病薬は統合失調症患者における陽性症状やそれに関連する陰性症状を軽快させる作用を有しており，また再発予防効果も有することが知られている．一方で再発の最も大きな要因として服薬アドヒアランスの問題が挙げられている．服薬アドヒアランスが良好であれば再発は予防され，寛解，回復の可能性は高まるといわれている[7]．

　抗精神病薬には至適用量があるとされ，用量が低いと抗精神病効果が乏しく，用量が高すぎるとアカシジアや錐体外路症状，抑うつ，不快感などの有害作用が出現しやすくなる．抗精神病効果が乏しいと病識の欠如からアドヒアランスが低下し，またこれら有害作用はアドヒアランスを低下させる．したがって，いずれの場合も再発につながり，寛解，

回復を妨げることになる．

再発予防のための抗精神病薬の長期の継続的服用が重要とされている一方で，長期に継続する有害作用として遅発性ジスキネジアや遅発性ジストニア，そしてドパミン過感受性精神病がある．これらが生じる正確な機序は不明な点も多いが，ドパミン D_2 受容体の持続的，または反復的な過剰遮断による可能性が高い[8]．さらに，ドパミン過感受性精神病は治療抵抗性に発展する重大なリスク因子であるとされる[9]．長期の継続服用とそれにより生じ得る副作用については，科学的，理論的考察とそれに続くエビデンスの構築が求められる．

3 抗精神病薬治療の限界

統合失調症の薬物治療において，最適な治療効果を得るためには，抗精神病薬を単剤で至適用量使用するという原則が守られるべきである．一方で，統合失調症患者の3割程度は抗精神病薬への反応が乏しいと報告されている[10]．抗精神病薬抵抗性にもかかわらず抗精神病薬による陽性症状の改善や衝動性制御を求め続けると多剤大量投与に至る可能性が高い．陽性症状の改善にとらわれて，大量の抗精神病薬が投与されないようにするべきであろう．これらの患者には治療抵抗性の統合失調症に唯一適応を有するクロザピンが有効である可能性がある．

統合失調症の症状には，幻覚妄想などの陽性症状に加え，意欲喪失や引きこもり，情動平板化などの陰性症状や，注意力低下や記憶低下，実行機能低下，社会認知機能の低下などの認知機能障害がある．派手な陽性症状は抗精神病薬や修正型電気けいれん療法などの生物学的レベルの治療法による改善が見込まれ，また陽性症状の改善に伴う二次的な陰性症状や認知機能障害の改善が期待される．また，抗精神病薬によって引き起こされる陰性症状や認知機能障害も用量の適正化や薬剤の変更により改善される．しかし，一次的な陰性症状や認知機能障害は薬物治療による改善が乏しく，そのために機能低下，多くの生活場面での障害が生じる[11]．特に統合失調症は思春期～青年期に発症することが多いことから社会的活動の経験が不十分になり社会生活での障害を生じやすい．統合失調症の生涯にわたる長期治療の重要なテーマは陽性症状の再発予防に加え，陰性症状や認知機能障害をいかに改善させていくか，または支援していくかである．

4 心理社会的治療

本ガイドラインでは精神療法および心理社会的治療に関する臨床疑問についての検討はなされていないが，これらを薬物治療に組み合わせることによって，さらなる改善が期待される[12]．最近の報告では臨床的回復，機能的回復，個人的回復には，ストレスへの対処や課題を解決すること，不快な感情や思考を止める方法を身に着けること，友人や家族から支援を得ることなど，問題に対処できることが大きく関係していることも報告されて

いる[2]．そこで，本人への直接的な介入，本人が主体となるリハビリテーション，家族など周囲への関わりを行い，問題への対処力を上げていくことが回復への一助となる．現在行われている技法としては，心理教育，CBT，CRT，SST，職業リハビリテーション，ACT，ピアサポート，家族支援などが挙げられる[13]．

心理教育は，「精神障害やエイズなど受容しにくい問題を持つ人たちに，正しい知識や情報を心理面への十分な配慮をしながら伝え，病気や障害の結果もたらされる諸問題・諸困難に対する対処法を習得してもらう事によって，主体的に療養生活を営めるように援助する方法」[14]と定義される．すなわち，正しい知識や情報を，心理的背景に配慮しながら共有して，困難に対する対処方法を学ぶものである．具体的には，まず本人の困りごとを聞いて，今までの苦労をねぎらい，対処を一緒に考える．薬物治療との関係では，薬物治療の有用性と問題点についての情報と，服薬継続するための工夫などが共有され得る．

本邦には，各地域において家族コミュニティを背景として，集団に対する家族心理教育が長く行われてきた歴史がある．どのような形態をとるかについては，スタイル（個別，集団）×対象（家族，患者本人，本人を含む家族）×提供者（専門職，家族や患者などの経験者）による組み合わせがあり，それぞれに利点がある．疾患や治療についての最新の情報や，利用できる社会資源についての具体的な情報を提供することで，患者のリカバリーを傍から支援することが家族心理教育の目標となる．心理教育の構造はこれまでにある程度確立されているが，最新の正確な情報として本ガイドラインの内容を取り入れることで，より一層患者や家族の役に立つ心理教育が実践できると思われる．

統合失調症のCBTは，CBTp（CBT for psychosis）とCBT-R（recovery oriented CBT）が主である．CBTpでは，本人が体験している妄想や幻聴など精神病症状を理解し，そのコントロール感覚を高め，柔軟な考え方や対処行動を強化することで症状に伴う苦痛の軽減に焦点をおく．CBT-Rでは，本人が望む暮らしを特定し，それを達成するために適応的な生活様式を活性化させることで機能の改善に焦点をおく．いずれのアプローチも個人の機能を改善することによって，本人が達成したいと思うリカバリーにつながることを目的としている．

CRTは，認知機能リハビリテーション，認知トレーニングなどと呼ばれ，統合失調症では幅広く障害されている認知機能，すなわち注意や記憶，言語機能や実行機能に対して直接アプローチする方法である[15, 16]．CRTのみでは効果量は小さいが，SSTなど他の精神科リハビリテーションと組み合わせることによって，社会生活機能が改善するという報告もある[17]．症状改善後に，就労や就学など患者自身が望む生活やリカバリーを実現するにあたり，認知機能の改善が重要な役割を果たす．

SSTは「社会生活スキルトレーニング」と訳され，社会生活に対処するための基本的な技能を，実際の場面に即したロールプレイなどを通して身に着けていくものである．日本では「入院生活技能訓練療法」が診療報酬化されている．行動療法に認知の要素を取り入れながら発展してきた背景から認知行動療法の1つとしても位置付けられ，陰性症状や機能の改善がみられるとの報告がある[18]．対人関係を中心とするソーシャル・スキル

のほか，服薬自己管理，症状自己管理などの疾病自己管理スキルを高める方法がスキルパッケージとして開発されている．患者自身の自己対処能力を高めて（エンパワメント），リカバリーにつなげることを目指したものである[19]．

職業リハビリテーションには就労支援や就労前トレーニングが含まれる．急性期から導入される作業療法においても，回復期に実施される精神科デイケアにおいても，患者自身の長期目標に就労が掲げられることは多い．就労に際しては，症状回復，機能回復を土台とした段階的な就労支援も考慮されるが，あくまでも本人の就労意欲が重要であることも知られている．たとえ症状があったとしても，本人の希望や好みに基づいて一般就労をゴールとした支援を行う，個別就労支援プログラムは，リカバリー支援の1つであり，下記ACTとともに日本国内各所で実践されている[20]．

ACTは，重い精神障害をもった人であっても，地域社会の中で自分らしい生活を実現・維持できるよう包括的な訪問型支援を提供するケアマネジメントモデルの1つである．看護師・精神保健福祉士・作業療法士・精神科医，そしてときには当事者であるピアスタッフを交えた多職種チームによるアウトリーチ（訪問）を24時間365日対応で実践して，地域生活を支えている[21]．

家族や当事者会などの自助組織（専門家が入らないサポートシステム）の熟成を背景に，本邦においても精神障害者のピアサポートが充実してきた．ピアカウンセリングやピアリスニングといった言葉も浸透しつつあり，各地でピアサポーター養成のための講座が開催され，当事者経験を有する専門資格保有者がピアスタッフとして勤務する組織も散見されるが，それよりさらに多くのインフォーマルな場面において，当事者同士が情緒的に支え合って，リカバリーを支援していることは想像に難くない．一口にピア活動と言っても，人の集まりである以上，諸々の困難は想定され得るが，目的と手法が逆転しないよう，体調を崩さない範囲での互助が基本であろう．

家族支援では，感情に配慮した支持的な助言を行うことにより，スティグマを軽減する．家族の感情表出は，家族が患者の疾患に伴う困難を経験することによって高くなることが知られており，まずは家族の感情を受け止めることが支援のはじまりとなる．統合失調症の家族支援は，人と人との相互作用（コミュニケーション）に注目した家族療法の流れから発生した側面があり，「家族と共に治療（支援）する」という発想に立つ．家族がさまざまな場面での対処方法を整理し，患者を支援する能力を発揮することで，患者だけでなく，家族のリカバリーにつなげることができる．家族支援を行うのは専門職として関わる支援者だけではない．本邦では伝統的に保健所の家族教室や地域の家族会などを通した互助の風土が育っており，それらの経験が，セルフヘルプやピアサポートにつながる土台となっている．

参考文献

1) Frese FJ 3rd, Knight EL, Saks E：Recovery from schizophrenia：with views of psychiatrists, psychologists, and others diagnosed with this disorder. Schizophr Bull 35：370-380, 2009
2) Roosenschoon BJ, Kamperman AM, Deen ML, et al：Determinants of clinical, functional and personal recovery for people with schizophrenia and other severe mental illnesses：a cross-sectional analysis. PLoS One 14：e0222378, 2019
3) Jääskeläinen E, Juola P, Hirvonen N, et al：A systematic review and meta-analysis of recovery in schizophrenia. Schizophr Bull 39：1296-1306, 2013
4) Kane JM, Robinson DG, Schooler NR, et al：Comprehensive versus usual community care for first-episode psychosis：2-year outcomes from the NIMH RAISE Early Treatment Program. Am J Psychiatry 173：362-372, 2016
5) Leucht S, Cipriani A, Spineli L, et al：Comparative efficacy and tolerability of 15 antipsychotic drugs in schizophrenia：a multiple-treatments meta-analysis. Lancet 382：951-962, 2013
6) Laursen TM, Nordentoft M, Preben BM：Excess early mortality in schizophrenia. Annu Rev Clin Psychol 10：425-448, 2014
7) Kane JM：Treatment strategies to prevent relapse and encourage remission. J Clin Psychiatry 68（Suppl 14）：27-30, 2007
8) Iyo M, Tadokoro S, Kanahara N, et al：Optimal extent of dopamine D_2 receptor occupancy by antipsychotics for treatment of dopamine supersensitivity psychosis and late-onset psychosis. J Clin Psychopharmacol 33：398-404, 2013
9) Yamanaka H, Kanahara N, Suzuki T, et al：Impact of dopamine supersensitivity psychosis in treatment-resistant schizophrenia：an analysis of multi-factors predicting long-term prognosis. Schizophr Res 170：252-258, 2016
10) Correll CU, Brevig T, Brain C：Patient characteristics, burden and pharmacotherapy of treatment-resistant schizophrenia：results from a survey of 204 US psychiatrists. BMC Psychiatry 19：362, 2019
11) Correll CU, Schooler NR：Negative symptoms in schizophrenia：a review and clinical guide for recognition, assessment, and treatment. Neuropsychiatr Dis Treat 16：519-534, 2020
12) van Os J, Kapur S：Schizophrenia. Lancet 374：635-645, 2009
13) Ventriglio A, Ricci F, Magnifico G, et al：Psychosocial interventions in schizophrenia：focus on guidelines. Int J Soc Psychiatry 66：735-747, 2020
14) 心理教育・家族教室ネットワーク
http://jnpf.net/
15) Ikezawa S, Mogami T, Hayami Y, et al：The pilot study of a Neuropsychological Educational Approach to Cognitive Remediation for patients with schizophrenia in Japan. Psychiatry Res 195：107-110, 2012
16) 池淵恵美：統合失調症の認知機能リハビリテーション．第113回日本精神神経学会学術総会教育講演．精神神経学雑誌 120：313-320, 2018
17) McGurk SR, Twamley EW, Sitzer DI, et al：A meta-analysis of cognitive remediation in schizophrenia. Am J Psychiatry 164：1791-1802, 2007
18) Granholm E, Holden J, Worley M：Improvement in negative symptoms and functioning in cognitive-behavioral social skills training for schizophrenia：mediation by defeatist performance attitudes and asocial beliefs. Schizophr Bull 44：653-661, 2018
19) SST普及協会：SSTとは
http://www.jasst.net/
20) 地域精神保健福祉機構（コンボ）
https://www.comhbo.net/
21) コミュニティメンタルヘルスアウトリーチ協会
https://www.outreach-net.or.jp/

第 3 章

患者さんと共に
人生を考える
―本ガイドラインの位置づけ―

1 はじめに

　診療ガイドラインは，日本医療機能評価機構EBM普及推進事業（Minds）によれば，「健康に関する重要な課題について，医療利用者と提供者の意思決定を支援するために，系統的レビューによりエビデンス総体を評価し，益と害のバランスを勘案して，最適と考えられる推奨を提示する文書」と定義される[1]．今日では，治療だけでなく，予防，リハビリテーション，看護介入，社会的支援など幅広い内容が扱われている．また，ガイドラインの利活用を助けるために，追加文書として「一般向けガイドライン」を作成したり，支援ツールとしてスマートフォンやウェブで使用できるアプリを提供したりするガイドラインも増えてきた．

　Mindsでは「ガイドライン作成グループの委員として，患者・市民を含めたさまざまな背景を持つ人たちが参加することが望ましい」としている[1]．医療利用者による他の参加手段には，外部評価委員として出来上がった草稿を評価したり，インタビューやアンケートに協力したりすることなどが考えられる[2]．診療ガイドライン分野における患者・市民参画（patient and public involvement：PPI）の取り組みは，1990年代に始まったものであるが，現在ではガイドラインの品質基準において重要視されている．つまり，ガイドラインの作成過程においても医療利用者と提供者が共同意思決定（shared decision making：SDM）を行い，出来上がったものをもとに医療現場でのSDMが行われるということになる．

　『統合失調症薬物治療ガイドライン』の改訂においては，医療利用者として統合失調症の診断を有する患者やその家族が委員として参画した．通常の診療と同様，ガイドラインの作成においても，利用者の視点を尊重すべきであることは改めて述べるまでもないが，実際の共同作業を進めるためにはさまざまな調整が必要となり，その道のりは平坦なものではなかった．本項ではまずは診療ガイドライン作成プロセスにおける患者・市民参画の重要性について紹介し[1]，実際に患者および家族委員と共に取り組んだ経緯について記載する．

2 患者・市民参画の重要性

1 共同意思決定（SDM）の支援という診療ガイドラインの本質に根差す重要性

　そもそも診療ガイドラインは患者のニーズに応えたものでなければならない．科学的に妥当な治療法であったとしても，費用やアクセスなどの問題で，現実的にその治療にたどり着くことができなければ，利用者がその益を享受することはできない．また複数の選択肢から方針を選ぶ際にも，医療提供者側の想定と医療利用者である患者や家族などの価値観が必ずしも一致するとは限らない．患者団体や支援者団体の中でもいろいろな意見があるだろうし，そのようなところに属さない，声なき意見もあるだろう．

　これらの前提をもとに，参画する医療利用者は，自分自身の切実な体験に基づく意見

と，他の利用者の経験や団体の中の議論の蓄積から得られる意見の，両者を提起することが期待される．そうしたさまざまな視点や希望や価値観から生まれた多様な意見に基づいて，大局的な視点から随所で意見を交換することで，患者や家族の普遍的なニーズが明らかになる．

「医療利用者」と一口に括られているが，ケア提供者である家族と患者の意向が必ずしも一致するとは限らない．ケア提供者の意見は尊重しつつも患者本人の利益を損なうことのないよう，意見の食い違いが明らかとなった場合には，そのことをお互いに認め，その由来するところについて共に検討した上で，まずは患者にとっての利益を優先させるなど，意思決定プロセスにおいては権利擁護のための慎重な姿勢が求められる．

そして診療ガイドラインをもとに治療方針の SDM を行う際に最も重要となるのは，その内容が当事者である患者やその家族などの医療利用者にとって理解しやすい記述になっているということである．医療利用者が理解できる診療ガイドラインでなければ SDM は実現できない．

❷ より質の高い診療ガイドライン作成に資する手段としての重要性

診療ガイドラインの作成プロセスに医療利用者が参加することによって，ガイドラインの質がより高まることが期待される．その重要性について具体的に記載する．まずは患者にとって重要であるが，治療を行う上で医療者が見落としがちな対処すべき課題・疑問を拾い上げる役割が期待される．

患者の生活感覚をもとに取り上げるべき項目について提案を行うことも重要である．その結果，医療者側はそれぞれの治療手段が実際に患者に与える影響を知り，益と害の推定をより具体的に行うことができる．推奨を作成する際にも，エビデンスを補完，補強，疑義を呈する者として患者の見解を反映することができる．出来上がった推奨文書などが「わかりやすく，患者を尊重した表現で作成されているか」を検証することができる．そして何より最も重要となるのは，診療ガイドラインの普及と活用について示唆が得られることである．

❸ 当該診療ガイドラインの社会的信用の基盤となる

このように利用者の目線からも検討されて作成され，初めて診療ガイドラインは社会的に信頼されるものとして認知され得る．ガイドライン作成に医療利用者が積極的に参加すること自体が，そのガイドラインの社会的信用を高めることにつながる．

3 『統合失調症薬物治療ガイドライン』改訂における患者・家族の参加

本ガイドラインの改訂では，治療に携わる精神科医をはじめとして看護師や保健師，薬

剤師，作業療法士，精神保健福祉士，臨床心理士，公認心理師などの各医療職，法律家などと並んで，統合失調症の診断を有する患者とその家族の立場の者が参加して，患者・市民参画の役割を担った．具体的には作成委員として医療者と共に検討会議に参画し，COIの申告も含め全てのプロセスに関与した．

　このプロセスは平坦なものではなく，各患者・家族委員は膨大なガイドライン記載の背景となる骨子を理解して，専門用語の多い原案を確認し，疑問点をそれぞれ書き出して会議に臨むこととなった．ただでさえ時間のかかる作成会議に先立ち，患者委員，家族委員それぞれと担当医療者委員が複数回集まって内容を検討し，会議直前にも「予習の会」を行い，疑問点を整理して会議に臨むなどの工夫を行った．会議資料においては，フォントのサイズと分量の調整を行ったものの，やはり資料は膨大となり，周到な事前準備が不可欠であった．また，長くなりがちな会議において，休憩時間の設定に関する意見も出た．内容に関する発言が十分可能となるよう，疲労の回復に必要な休憩などについて，相談して会議を実施した．

❶ スコープ作成：患者にとって重要な課題・疑問についての情報提供

　ガイドラインの企画書となるスコープ作成の際には，本ガイドラインに記載すべきことについてさまざまな意見が出された．とりわけ強調されたのは，統合失調症治療における本ガイドラインの位置付けである．本ガイドラインは統合失調症の薬物治療に限定したものであるが，統合失調症の治療においては心理社会的なアプローチが大きな役割を占める．薬物治療のみが重要であるかのような偏った印象が誤って伝わることのないよう，パート1において，治療総論を丁寧に記載する必要性が会議の場で改めて確認された．

❷ 臨床疑問（CQ）の作成：患者・家族にとって重要なアウトカムを見落とさないように意見を述べる

　臨床疑問（clinical question：CQ）の設定に際しては，副作用の項目や妊娠・出産などの臨床疑問の設定に際し，多くの提案がなされ，それに伴い作成委員が追加された．PICO〔患者（Patient），治療・条件（Intervention・If），比較対照（Comparison），アウトカム（Outcome）〕を設定する際には，患者・家族委員はそれぞれ「PICO」の意味するところを理解することから始めて，記載された内容を理解し，その結果としてPやIの設定についての変更やアウトカムの重要度の変更が提案された．例えば，アウトカムの重み付けにおいて，「薬が効くかどうかよりも，副作用で死ぬかどうかのほうが重要だ．生きていればなんとかなる」などの意見が出された．言われてみればあまりにも当然の意見であるが，副作用を軽視しているわけではないものの，稀な副作用を認識しつつも治療の効果を前提としている医療者側にとっては，まさに目から鱗の経験であった．ほかにも発生頻度や重症度が低くても，生活の観点から患者には重視される副作用や妊娠・授乳に際しての薬物治療の取り扱い，さらには「母乳育児を推奨する環境下で服薬することのストレス」に関する意見も出された．一方で，これらの患者・家族にとって重要なアウトカムとして設定されたもの

であっても，長期的な予後のように十分なエビデンスが得られないものがあり，今後の研究の課題となることが明らかとなった．

❸ 系統的レビュー（SR）：患者・家族の価値観，希望，重要視する点について意見を述べる

CQ設定で患者・家族委員から述べられた現実的なテーマにおいて，ガイドライン作成に資する研究報告は多くないという現状で，システマティックレビューチームと多くのやりとりがなされた．とりわけ関心の高かった妊娠と授乳に関するCQには別途ワーキンググループが組まれ，その中に患者委員も参加して意見を述べた．

また，あるCQに対して家族委員が意見を述べる際に，医療利用者ではあるがケア提供側であるという立場を意識して「ご本人である当事者の方はまた別のご意見をお持ちかもしれませんが，私は家族としてこう思います」という発言がみられた．単に「医療利用者」と一括りにせず，それぞれの立場と価値観の違いを前提として話し合いの余地を残すことの重要性が理解され実践されていた1コマであったと思われる．

❹ 推奨作成：患者にとっての益と害，最終的に重要視するアウトカム，推奨の強さの決定において価値観や希望を述べる

推奨作成過程においては，推奨に記載する内容だけでなく，出来上がった文章が読者に正しく理解される表現になっているか，医療利用者にとって必要な情報が盛り込まれているかについて多くの意見が出された．例えば，「CQ2-2 安定した統合失調症に抗精神病薬の減量は推奨されるか？」においては，患者・家族委員より「減量の際に目安となる用量があれば，それを推奨に記載したほうが，実際の場面で役に立つ」という積極的な意見が多く出された．本ガイドライン作成の際にあらかじめ定めた基準においては，具体的な用量は推奨ではなく解説に記載するものであったが，統括委員会およびシステマティックレビューチーム委員間でも入念な検討がなされ，正しく理解されるような表現を練って推奨に記載するに至った．

4 患者や家族が手に取ってわかる『統合失調症薬物治療ガイド』

初版の『統合失調症薬物治療ガイドライン』においては，診療場面で実際にSDMのツールとして使用できる追加文書『統合失調症薬物治療ガイド―患者さん・ご家族・支援者のために―』が作成された[3]．今回参画した患者・家族委員の多くはこの追加文書の作成メンバーでもあった．その過程でSDMの土台となり得る診療ガイドライン作成の意義を共有していたこともあり，改訂作業への参加は比較的スムーズであったと思われる．ただ，初版の構造や分量を理解されていたとはいえ，新しい項目を加えてのガイドライン改訂が膨大な作業量であったことは間違いない．今回のガイドライン作成後にも追加文書と

なる『統合失調症薬物治療ガイド』の作成が期待されるところであるが，患者・家族委員の参加の輪が広がり，関わる人が増えていくことが望まれる．

5　おわりに

　今回参加した患者・家族委員は「統合失調症」という疾患でつながっているとはいえ，さまざまな背景を持ち，異なる価値観を有している．かれらは『統合失調症薬物治療ガイド』の使い方について患者会や家族会，さらには精神科領域の学会で講演したりするなどの啓発活動を行い，ガイドライン作成への関与を通して得られた情報をもとに主治医と相談する一方で，ガイドライン通りの治療が行われていない状況に関しても身をもって理解している．今回の改訂作業中に結婚をして，妊娠や出産，子育てへの関心がさらに深まった委員もいる．ある患者委員からは「病気になったら人生詰むのではなく，適切に治療や対応することで，当事者だって自分の人生が送れるという，1つのメッセージをガイドラインから発したい」というコメントが寄せられた．家族委員も発症や再発当時のことを思い出したり，孫の成長に思いを馳せたりと，まさに人生を振り返る作業でもあったのではないかと考える．一連の作業を通して，「統合失調症リカバリー支援ガイド」[4]の掲げる基本理念，「①人生のリカバリーの支援に，②主体としての当事者・家族と共同創造で取り組み，③現場の実践を変革できる専門職への成長を促す」に少し近づけたのではないかと考えている．

参考文献

1) Minds 診療ガイドライン作成マニュアル編集委員会（編）：Minds 診療ガイドライン作成マニュアル 2020 ver. 3.0．日本医療機能評価機構 EBM 医療情報部，東京，2021
2) 日本医療機能評価機構（訳）：G-I-N Public ToolKit ガイドライン作成における患者市民参画．2020 https://minds.jcqhc.or.jp/s/public_infomaiton_guidance/
3) 日本神経精神薬理学会（編）：統合失調症薬物治療ガイド―患者さん・ご家族・支援者のために．じほう，東京，2018
4) 統合失調症リカバリー支援ガイド―当事者・家族・専門職それぞれの主体的人生のための共同創造 第 1.1 版 https://psychiatry.dept.med.gunma-u.ac.jp/wordpress/wp-content/uploads/2020/04/shienguide1-1.pdf

パート2

統合失調症治療の臨床疑問（CQ）

第1章

急性期の統合失調症治療

CQ 1-1 急性期の統合失調症に抗精神病薬治療は有用か？

推奨

急性期の統合失調症において抗精神病薬治療により，精神症状全般の改善 **A**，陽性症状の改善 **A**，陰性症状の改善 **A**，治療中断の減少 **A**，生活の質（quality of life：QOL）の改善 **A** が認められる．一方で，体重の増加 **A**，プロラクチン値の上昇 **A**，QTc 間隔の延長 **A**，抗パーキンソン薬の使用の増加 **A**，鎮静の発現の増加 **A** が認められ，すべての有害事象は増加する **A**．

これらエビデンスより，有効性と安全性を考慮すると，急性期の統合失調症に抗精神病薬治療を行うことを強く推奨する **1A**．

解説

精神科の臨床現場では，統合失調症の治療に抗精神病薬が一般的に用いられている．急性期の統合失調症において抗精神病薬治療が有用であることは精神科医であれば誰でも持っている知識であるが，当事者・家族・支援者には十分に知られていない場合がある．よって，本CQでは，急性期の統合失調症における抗精神病薬の有用性について，症状の改善などの有効性と副作用（有害事象）などの安全性について，投与継続の観点も含めて，エビデンスを精査し，その推奨を決定した．本CQに合致したLeuchtら[1]のメタ解析は，167本の無作為化比較試験（randomized controlled trial：RCT），28,102例の患者を対象に抗精神病薬とプラセボとを比較し，以下のアウトカムについて検討を行った．なお，このメタ解析では治療抵抗性統合失調症，初回エピソード統合失調症，陰性症状やうつ症状が前景の統合失調症，併存精神疾患を有する統合失調症および，再発予防を主要評価項目とした研究は含まれていない．

精神症状全般の改善について標準化平均値差は0.47〔95%信用区間0.42〜0.51，N（研究数）＝105，n（患者数）＝22,741〕であり，治療効果発現必要症例数は6（95%信用区間5〜8）であり，抗精神病薬で改善度が高かった **A**．また，有効性を示した患者割合は抗精神病薬では51%（95%信用区間45〜57%）であり，プラセボでは30%（95%信用区間27〜34%）であり，抗精神病薬で改善率が高かった．陽性症状の改善について，標準化平均値差は0.45（95%信用区間0.40〜0.50，N＝64，n＝18,174）であり，抗精神病薬で改善度が高かった **A**．陰性症状の改善について，標準化平均値差は0.35（95%信用区間0.31〜0.40，N＝69，n＝18,632）であった **A**．また，QOLの改善については，標準化平均値差は0.35（95%信用区間0.16〜0.51，N＝6，n＝1,900）であり，抗精神病薬で改善度が高かった **A**．

安全性の評価項目については，各安全性評価項目をプラセボと比較した際の結果は以下の通りである．治療中断について，抗精神病薬は38%に対しプラセボは56%であり，リスク比1.25（95%信用区間1.20〜1.31，N＝105，n＝22,851）で治療効果発現必要症例数は11（95%信用区間9〜14）であり，抗精神病薬は治療中断率が低かった A．体重について，標準化平均値差は−0.40（95%信用区間−0.47〜−0.33，N＝59，n＝17,076）であり抗精神病薬で体重は有意に増加した A．抗パーキンソン薬の使用について，抗精神病薬は19%でプラセボが10%の使用であり，リスク比1.93（95%信用区間1.65〜2.29，N＝63，n＝14,942）であり，治療による害発現必要症例数は12（95%信頼区間9〜16）であり，抗精神病薬で抗パーキンソン薬の使用が多かった A．プロラクチン値について，標準化平均値差は−0.43（95%信頼区間−0.55〜−0.30，N＝51，n＝15,219）であり，抗精神病薬でプロラクチン値は上昇した A．QTc間隔の延長について，標準化平均値差は−0.19（95%信用区間−0.29〜−0.08，N＝29，n＝9,883）であり抗精神病薬でQTc間隔は延長した A．鎮静について，抗精神病薬は14%であり，プラセボが6%の発現であり，リスク比2.80（95%信用区間2.30〜3.55，N＝86，n＝18,574）であり抗精神病薬で鎮静の発現率が高かった A．よって，すべての有害事象は増加する A．

急性期の統合失調症患者に対して，抗精神病薬は各薬剤で効果量は異なるものの多くの薬で有効性を示しているが，安全性の評価項目については各薬剤でプラセボと有意差がないものからプラセボに比し有意に有害事象が増加するものまでさまざまであることがわかった．

急性期の統合失調症患者に対しては抗精神病薬治療以外の治療法が限られており，抗精神病薬を長期間継続投与する場合における統合失調症および有害事象に対する医療費と，そうでない場合における再発時に発生する入院費などの医療費や社会機能低下による職業的・経済的損失を比べ，その損益について十分考慮する必要がある．

これらエビデンスより，有効性と安全性を考慮すると，急性期の統合失調症に抗精神病薬治療を行うことを強く推奨する 1A．

参考文献

1) Leucht S, Leucht C, Huhn M, et al：Sixty years of placebo-controlled antipsychotic drug trials in acute schizophrenia：systematic review, Bayesian meta-analysis, and meta-regression of efficacy predictors. Am J Psychiatry 174：927-942, 2017

CQ 1-1 補記： 本ガイドラインに登場する EBM・臨床疫学用語

❶ 系統的レビューとメタ解析

　　系統的レビュー（systematic review）とは，明確に作られたクリニカル・クエスチョンに対し，系統的で明示的な方法を用いて，適切な研究を同定，選択，評価を行うことで作成するレビューをいう[1]．一方，メタ解析（meta-analysis）とは，過去に行われた複数の臨床試験の結果を，統計学の手法を用いて統合して，全体としてどのような傾向がみられるかを解析する研究方法である．系統的レビューによって介入効果を明確にするためには，過去に行われた複数の独立した研究成果をできるだけ系統的，網羅的に収集するように配慮し，研究の質についても吟味しなければならない．また，メタ解析を行う場合は，統合の可否を十分に検討した上で，適切な統計モデルを用いて解析を行わなければならない．

❷ 治療効果発現必要症例数（number needed to treat：NNT）

　　治療効果の大きさを示す指標の1つ．ある治療介入を患者に一定期間行った場合，1人に治療効果が現れるまでに何人の患者を治療する必要があるのかを表す数字[2]．例えば，NNT＝10の場合，1人に治療効果を得るためにその治療を10人に行う必要があることを意味している．したがって，NNTの値が小さいほど治療が有効である確率が高く，NNT＝1は治療を受けたすべての人に治療効果が得られるということを意味する．なお，NNTは"NNTB（number needed to benefit）"と表記される場合もある．

❸ 治療による害発現必要症例数（number needed to harm：NNH）

　　治療のリスクの大きさを示す指標．ある治療介入を患者に一定期間行った場合，1人に有害事象が現れるまでに何人の患者を治療する必要があるのかを表す数字[2]．NNHの値が小さいほど害発現のリスクが高い治療となり，NNH＝1は治療を受けた全員に有害事象が現れるということを意味する．

❹ 統合失調症認知機能簡易評価尺度（Brief Assessment of Cognition in Schizophrenia：BACS）

　　BACSは統合失調症患者の認知機能障害の重症度を評価するためにKeefeら[3,4]によって開発された評価尺度である．BACSは，①言語性記憶と学習を評価する「言語性記憶課題」，②ワーキングメモリを評価する「数字順列課題」，③運動機能を評価する「トークン運動課題」，④注意と情報処理速度を評価する「符号課題」，⑤言語流暢性を評価する「意味（カテゴリー）流暢性課題」と「文字流暢性課題」，⑥遂行機能を評価する「ロンドン塔検査」の6つの下位検査から構成され，下位検査の結果に基づいて総合得点（composite score）が算出される．総合得点とは，被験者の年代・性別健常者平均と標準偏差に基づいて，それぞれの下位検査の評点をz得点に変換した上で，それらを平均したものである．

5 標準化平均値差/標準化平均差（standardized mean difference：SMD）

　　複数の臨床試験において，統合失調症の精神病症状など同じ構成要素を測定するために異なる評価尺度が使われている場合，メタ解析を行うにあたってはデータを統合するために「標準化平均値差」が用いられる．標準化平均値差とは，平均値差（試験介入群と対照群のベースラインから研究終了までの変化の差）を当該研究における対照群の標準偏差で割ることによって標準化したもので，効果量の大きさを示す指標の1つ[5]．

6 無作為化比較試験（randomized controlled trial：RCT）

　　患者を複数の群（介入群と対照群や，通常の治療のみを行う群と通常＋新治療を行う群など）に無作為に割り付け，疾患の経過を記録し，介入による影響・効果の違いを比較する臨床研究デザイン．「無作為化」の手法によって患者のさまざまな因子が各割り付け群に均等に分布することが期待されることから，転帰に影響する因子（交絡因子）が制御できるという研究デザイン上のメリットがある[1]．このため，非無作為化比較試験よりも信頼性が高いエビデンスであるとされている．

7 盲検化（blinded, masked）

　　臨床試験において被験者がどの治療を受けているかという情報を被験者自身および研究者が知っていると，自らの判断，行動，心理に影響を与え，観察結果を変えてしまうというバイアスが入る可能性がある．このバイアスの影響を制御する方法として，関係者に被験者の割り付け内容を知らせない「盲検化」という手法がある[1]．被験者と研究者（医師）に情報が伏せられている臨床試験を二重盲検試験，誰にも盲検化がなされていない試験を「オープンラベル試験（非盲検試験）」という．

8 薬原性錐体外路症状評価尺度（Drug-induced Extrapyramidal Symptoms Scale：DIEPSS）

　　DIEPSSは抗精神病薬による薬物療法を受けている患者の錐体外路症状の重症度を評価することを目的として，稲田[6]によって開発された評価尺度である．DIEPSSは，①歩行，②動作緩慢，③流涎，④筋強剛，⑤振戦，⑥アカシジア，⑦ジストニア，⑧ジスキネジア，および，⑨概括重症度の9項目から構成され，各項目は0点（なし）～4点（重度）の5段階で評価される．臨床試験の現場では，概括重症度を除く8項目の合計点の変動幅を安全性評価の指標としたり，あるいはそれぞれの項目の評点の変動幅を安全性の指標としたりすることが広く行われている．

9 陽性・陰性症状評価尺度（Positive and Negative Syndrome Scale：PANSS）

　　PANSSは統合失調症の重症度を評価することを目的としてKayら[7,8]によって開発された30項目［表1］からなる評価尺度である．PANSSの各項目は1点（なし）～7点（最重度）の7段階で評価され，通常はPANSS総得点，すなわち30項目の評点の合計点が統合失調症の重症度の指標として用いられる．したがって，最低点（症状がない状態）は30

表1　PANSS の構成

陽性尺度	陰性尺度	総合精神病理尺度
P1　妄想	N1　情動の平板化	G1　心気症
P2　概念の統合障害	N2　情緒的引きこもり	G2　不安
P3　幻覚による行動	N3　疎通性の障害	G3　罪責感
P4　興奮	N4　受動性/意欲低下による	G4　緊張
P5　誇大性	社会的引きこもり	G5　衒奇症と不自然な姿勢
P6　猜疑心	N5　抽象的思考の困難	G6　抑うつ
P7　敵意	N6　会話の自発性と流暢さの欠如	G7　運動減退
	N7　常同的思考	G8　非協調性
		G9　不自然な思考内容
		G10　失見当識
		G11　注意の障害
		G12　判断力と病識の欠如
		G13　意志の障害
		G14　衝動性の調節障害
		G15　没入性
		G16　自主的な社会回避

〔Kay SR, Opler LA, Fiszbein A：Positive and negative syndrome scale（PANSS）rating manual. Multi-Health System Inc. Toronto, 1991／山田　寛, 増井寛治, 菊本弘次（訳）：陽性・陰性症状評価尺度（PANSS）マニュアル, 星和書店, 東京, 1991 に基づいて作成〕

点, 最高点（想定しうる最も重症な状態）は 210 点となる. PANSS は統合失調症を対象とする新薬の開発試験のほとんどで主要評価項目として採用されている. 臨床試験の現場では, 治療前後の PANSS 総得点の改善幅が有効性の指標とされることが多いが, PANSS 総得点の改善度の度合いに基づく「治療反応」の基準が設定され, 当該研究における治療反応率が有効性の指標とされる場合もある. その他にも, PANSS 総得点の代わりに下位尺度（陽性尺度, 陰性尺度, 総合精神病理尺度など）の合計点の改善幅が有効性の指標とされることもある.

⑩ Cochrane Review

　Cochrane は, ヘルスケアにおける良質のエビデンスを収集し, 系統的レビューを行い, 多くの人がアクセスできるように成果物を公開している英国に本部を置く国際的ネットワーク（https://www.cochrane.org/）である[5]. Cochrane 共同計画のもと作成された系統的レビュー（Cochrane Review）の質の高さには定評があり, Cochrane Library（https://www.cochranelibrary.com/）と呼ばれるデータベースに収載されている. Cochrane Library 内のデータベースには, Cochrane Database of Systematic Reviews（CDSR：Cochrane Review とそのプロトコルを収載）や Cochrane Central Register of Controlled Trials（CENTRAL：質の高い臨床試験を収載）などがある.

参考文献

1) Fletcher RH, Fletcher SW, Fletcher GS（著），福井次矢（訳）：臨床疫学―EBM 実践のための必須知識 第3版．メディカル・サイエンス・インターナショナル，東京，2016
2) Wang D, Bakhai A（eds）：Clinical Trials：a Practical Guide to Design, Analysis, and Reporting. Remedica, London, 2006
3) Keefe RS, Goldberg TE, Harvey PD, et al：The Brief Assessment of Cognition in Schizophrenia：reliability, sensitivity, and comparison with a standard neurocognitive battery. Schizophr Res 68：283-297, 2004
4) 兼田康宏，住吉太幹，中込和幸，他：統合失調症認知機能簡易評価尺度日本語版（BACS-J）．精神医学 50：913-917, 2008
5) Higgins JPT, Green S（eds）：Cochrane Handbook for Systematic Reviews of Intervention. John Wiley & Sons, Chichester（UK）, 2008
6) 稲田俊也：DIEPSS を使いこなす 改訂版 薬原性錐体外路症状の評価と診断―DIEPSS の解説と利用の手引き．星和書店，東京，2012
7) Kay SR, Fiszbein A, Opler LA：The positive and negative syndrome scale（PANSS）for schizophrenia. Schizophr Bull 13：261-276, 1987
8) Kay SR, Opler LA, Fiszbein A：Positive and negative syndrome scale（PANSS）rating manual. Multi-Health System Inc. Toronto, 1991/山田 寛，増井寛治，菊本弘次（訳）：陽性・陰性症状評価尺度（PANSS）マニュアル．星和書店，東京，1991

CQ 1-2 急性期の統合失調症で抗精神病薬の効果が不十分な場合に，切り替えと増量のどちらが適切か？

準推奨

急性期の統合失調症患者において抗精神病薬の効果が不十分な場合，精神症状の改善効果を得るためには，十分量までは増量すべきである．また，もともと服用していた抗精神病薬から別の抗精神病薬に切り替えることにより，精神症状の改善がもたらされる可能性もある．

以上より，抗精神病薬の効果が不十分なケースには，十分量までの増量を行うか，切り替えを検討することが望ましい．

解説

急性期の統合失調症患者において抗精神病薬の増量と切り替えはどちらが有用か，というテーマは，基本的な臨床疑問であるにもかかわらず，直接比較に基づくエビデンスはないのが現状である．

1 抗精神病薬を増量するか，現在の服用量を継続するか

抗精神病薬を増量するか，あるいは現在の服用量を継続するかという臨床疑問については，2018年にSamaraらによりCochrane Reviewで検討が行われている[1]．このレビューには10本の無作為化比較試験（randomized controlled trial：RCT）が含まれているが（増量後の平均フォローアップ期間：6.3週），ベースラインにおける設定用量はさまざまであることに加え，増量群では推奨用量の範囲内にとどまらず，それを超える用量が投与されているものもあった．精神症状の改善，治療中断，有害事象の発現いずれも両治療法で有意差はなかった．生活の質（quality of life：QOL）に関して言及しているものは1本〔n（患者数）=17〕だけみられたが，そこでも両群に差はなかった[2]．ただし，このレビューの検討対象となった10本のRCT中9本は海外で行われた研究であり，ベースラインの設定用量が本邦の承認用量でいうと十分量から高用量に相当するものとなっていることが少なくないことに注意を要する[3-6]．それを念頭に置くと，これらRCTの結果から示唆されていることは，すでに十分量が投与されているにもかかわらず効果が不十分なケースにおいては増量する必然性は乏しいということであるといえよう．

日本人の統合失調症を対象としたRCT（n=103）では[7]，オランザピン10 mg/日またはリスペリドン3 mg/日で治療を受けたにもかかわらず効果が不十分なケースに対して，服

用中の抗精神病薬の用量を2倍に増量した群と同一用量で継続する群の2つに割り付け4週間の経過観察が行われたが，両群の精神症状の改善において有意な差はみられなかった（平均差＝0.70，95％信頼区間－2.34～3.74，$p＝0.22$）．なお，ベースラインでの薬剤の血中濃度が低かった集団（n＝29）では，陽性症状の強さ〔陽性・陰性症状評価尺度（Positive and Negative Syndrome Scale：PANSS）の陽性尺度により評価〕とオランザピン血中濃度に負の相関関係がみられており（Spearman $\rho＝-0.48$，$p＝0.042$），血中濃度が低いと推測される一群に対しては薬剤を増量することで精神症状の改善が期待できることが示唆されており，増量は無意味だと安易に結論づけるべきではないのかもしれない．

以上，抗精神病薬にて効果が不十分な場合には，十分量でなければ増量を検討することが望ましい．

本 CQ は急性期の統合失調症を対象としており，治療抵抗性統合失調症を対象とはしていない．しかし，薬剤反応性が悪い場合には治療抵抗性の経過となることが一定数あると想定されるため，それらに対しては将来的にクロザピンを使用する可能性があることを念頭に置いておく必要があろう．本邦のクロザピン使用の基準では，抗精神病薬の"十分量"の基準をクロルプロマジン換算で 600 mg/日以上としているため[8]，本 CQ でもこれを増量の目安とする（治療抵抗性の定義については CQ 5-1 を参照→100頁）．ただし，急速増量や推奨用量を超える増量については，それらが有効であるというエビデンスが乏しい上に，副作用が増強する可能性があることにも注意すべきである[9-11]．

❷ 抗精神病薬を切り替えるか，切り替えずに現在の服用量のまま継続するか

それまで服用していた抗精神病薬を継続するのか，別の抗精神病薬に切り替えるのかについて，Leucht らは RCT の系統的レビューを行っている[12]．そこでは10本の RCT について概観的な記載をするにとどまっているが（メタ解析は実施していない），それによると，いずれも初発ケースに限定したものではなかったが，別の抗精神病薬に切り替えることの有効性について結論は得られなかった．ただし，個々の RCT をみると，わずかながらも切り替えの有用性を示唆しているものが1本認められた．Kinon[13] は，リスペリドン2～6 mg/日に効果が不十分なケースを，オランザピン10～20 mg/日に切り替えた群（n＝186）とリスペリドン2～6 mg/日の投与を継続した群（n＝192）に割り付け10週間の経過観察を行っているが，そこでは，オランザピン切り替え群の方が PANSS 合計得点で有意な改善が得られていることが示された（切り替え群の方が，改善幅が3.7点大きかった）．治療中断については，両群ともに3割程度発生していて有意差はなく，有害事象や QOL に関する報告はなかった．

これらを踏まえると，抗精神病薬の切り替えによって症状が改善することは必ずしも期待できないものの，有効性を示す可能性がないとまではいえないと考えられた．

以上より，抗精神病薬にて効果が不十分なケースには，抗精神病薬の切り替えを検討することが望ましい．

参考文献

1) Samara MT, Klupp E, Helfer B, et al：Increasing antipsychotic dose for non response in schizophrenia. Cochrane Database Syst Rev（5）：CD011883, 2018
2) McGorry PD, Cocks J, Power P, et al：Very low-dose risperidone in first-episode psychosis：a safe and effective way to initiate treatment. Schizophr Res Treatment 2011：631690, 2011
3) Kinon BJ, Kane JM, Johns C, et al：Treatment of neuroleptic-resistant schizophrenic relapse. Psychopharmacol Bull 29：309-314, 1993
4) Bjørndal N, Bjerre M, Gerlach J, et al：High dosage haloperidol therapy in chronic schizophrenic patients：a double-blind study of clinical response, side effects, serum haloperidol, and serum prolactin. Psychopharmacology（Berl）67：17-23, 1980
5) Honer WG, MacEwan GW, Gendron A, et al：A randomized, double-blind, placebo-controlled study of the safety and tolerability of high-dose quetiapine in patients with persistent symptoms of schizophrenia or schizoaffective disorder. J Clin Psychiatry 73：13-20, 2012
6) Lindenmayer JP, Citrome L, Khan A, et al：A randomized, double-blind, parallel-group, fixed-dose, clinical trial of quetiapine at 600 versus 1200 mg/d for patients with treatment-resistant schizophrenia or schizoaffective disorder. J Clin Psychopharmacol 31：160-168, 2011
7) Sakurai H, Suzuki T, Bies RR, et al：Increasing versus maintaining the dose of olanzapine or risperidone in schizophrenia patients who did not respond to a modest dosage：a double-blind randomized controlled trial. J Clin Psychiatry 77：1381-1390, 2016
8) ノバルティスファーマ株式会社：クロザリル®添付文書2021年6月改訂（第2版）
9) Davis JM, Chen N：Dose response and dose equivalence of antipsychotics. J Clin Psychopharmacol 24：192-208, 2004
10) Kinon BJ, Volavka J, Stauffer V, et al：Standard and higher dose of olanzapine in patients with schizophrenia or schizoaffective disorder：a randomized, double-blind, fixed-dose study. J Clin Psychopharmacol 28：392-400, 2008
11) Canadian Agency for Drugs and Technologies in Health：Optimal Use Report：A Systematic Review of Combination and High-Dose Atypical Antipsychotic Therapy in Patients with Schizophrenia. Canadian Agency for Drugs and Technologies in Health, Ottawa（ON）, 2011
https://www.cadth.ca/media/pdf/H0503_AAP_science-report_e.pdf
12) Leucht S, Winter-van Rossum I, Heres S, et al：The optimization of treatment and management of schizophrenia in Europe（OPTiMiSE）trial：rationale for its methodology and a review of the effectiveness of switching antipsychotics. Schizophr Bull 41：549-558, 2015
13) Kinon BJ, Chen L, Ascher-Svanum H, et al：Early response to antipsychotic drug therapy as a clinical marker of subsequent response in the treatment of schizophrenia. Neuropsychopharmacology 35：581-590, 2010

CQ 1-3 急性期の統合失調症で抗精神病薬の効果が不十分な場合に，抗精神病薬単剤治療と抗精神病薬の併用治療とどちらが適切か？

推奨

急性期の統合失調症において，抗精神病薬単剤治療の効果が不十分な場合，抗精神病薬の併用治療を行っても，精神症状全般の改善 C，すべての有害事象（死亡を除く）の発現 C，有害事象による治療中断 B，すべての理由による治療中断 B，生活の質（quality of life：QOL）の改善 D について，併用を行わなかった場合とでは違いは認められない．

これらエビデンスより，有効性と安全性を考慮すると，急性期の統合失調症の単剤治療において効果が不十分な場合，併用治療を行うよりも単剤治療を行うことを弱く推奨する 2C．

解説

急性期の統合失調症では抗精神病薬単剤での治療開始が望まれるが，その効果が全くみられない，あるいは部分反応しか得られない状況は一定の割合で認められる．その際に，日常診療では抗精神病薬の併用療法を行うことがしばしば認められている．本 CQ では，その根拠となるエビデンスについて無作為化比較試験（randomized controlled trial：RCT）のメタ解析にて検討を行った．

精神症状の改善については，単剤治療で効果不十分な場合，併用治療により精神症状全般の改善がみられたとする結果が得られている〔N（研究数）＝29：n（患者数）＝2,398，リスク比 0.73，95％信頼区間 0.64〜0.83，$p<0.0001$〕が，その結果の解釈には注意を要する[1]．なぜなら，確かに感度分析を実施しても結果と相反する傾向がみられないことは確認されたものの，29 本の RCT 中 19 本がクロザピンの併用あるいはクロザピンの追加投与を可能としており，それは本邦の治療環境では実施できないものであり，本邦の治療環境でも実施されうる併用治療を検討したものはわずかに 5 本[2-6]にとどまっているからである．しかも，これらすべてにおいて，両群に有意差は認められていない．よって，本邦の治療環境においては，単剤治療に比べて併用治療によって精神症状全般の改善は認めにくいと考えられた C．

すべての理由による治療中断については，併用治療と単剤治療の両群に有意差は認められなかった（N＝43：n＝3,137，リスク比 0.90，95％信頼区間 0.76〜1.07，$p=0.24$）[1] B．

有害事象による治療中断については，有害事象による治療中止の発現について併用治療

と単剤治療の両群に有意差は認められず（N＝18：n＝1,611，リスク比0.84，95％信頼区間0.53〜1.33，p＝0.455），出版バイアスをEgger testで検討したが認められなかった（intercept＝−0.57，95％信頼区間−0.53〜1.47，p＝0.20)[7]．しかしながら，18本のRCT中10本がクロザピン使用群への併用あるいはクロザピンの追加投与群に関するものであり，本邦の治療環境でも実施されうる併用治療を検討したものは4本[2, 3, 6, 8]にとどまった．なお，これらすべてにおいて両群に有意差は認められなかった B ．加えて，観察期間も最大でも16週（過半数が8週以内）にとどまっており，有害事象の評価を十分に行う期間であるとはいえないことから，当該アウトカムに関して，併用治療の有用性が認められるとまでは結論づけられないであろう．

QOLについては，4本のRCT（n＝389）の報告がみられたが[6, 9-11]，各RCTのQOLは異なる指標で評価されており，メタ解析は実施されていない[1]．なお，いずれのRCTにおいても有意差は認められていない．4本のRCT中3本がクロザピン使用群への併用あるいはクロザピンの追加投与群に関するものであり，本邦の治療環境でも実施されうる併用治療を検討したものは1本[6]のみであった．なお，この報告において両群に有意差は認められなかった．よって，QOLの改善において，違いは認められなかった D ．今後はQOL指標を統一した上で，RCTの集積が行われることが期待される．

すべての有害事象について，併用治療では有意に発現が少なかった（N＝22：n＝1,492，リスク比0.77，95％信頼区間0.66〜0.90，p＝0.001）が，Egger test（intercept＝−0.92，95％信頼区間−1.80〜−0.04，p＝0.04）にて出版バイアスが認められている[7]．また，22本のRCT中10本がクロザピン使用群への併用あるいはクロザピンの追加投与群に関するものであり，本邦での治療環境を踏まえた併用治療を検討したものは3本[3, 8, 12]のみであった．これらすべてにおいて，両群に有意差は認められなかった C ．加えて，多くのRCTにおける観察期間が最大でも12週にとどまっており，有害事象の評価を十分に行える期間であるとはいえないこともあり，これらの報告を本邦での治療環境にそのまま転用することは適切ではないと考えられる．

これらエビデンスより，有効性と安全性を考慮すると，急性期の統合失調症の単剤治療において効果が不十分な場合，併用治療を行うよりも単剤治療を行うことを弱く推奨する 2C ．

参考文献

1) Ortiz-Orendain J, Castiello-de Obeso S, Colunga-Lozano LE, et al：Antipsychotic combinations for schizophrenia. Cochrane Database Syst Rev（6）：CD009005, 2017
2) Kane JM, Correll CU, Goff DC, et al：A multicenter, randomized, double-blind, placebo-controlled, 16-week study of adjunctive aripiprazole for schizophrenia or schizoaffective disorder inadequately treated with quetiapine or risperidone monotherapy. J Clin Psychiatry 70：1348-1357, 2009
3) Lin CH, Kuo CC, Chou LS, et al：A randomized, double-blind comparison of risperidone versus low-dose risperidone plus low-dose haloperidol in treating schizophrenia. J Clin Psychopharmacol 30：518-525, 2010
4) Hatta K, Otachi T, Fujita K, et al：Antipsychotic switching versus augmentation among early non-responders to risperidone or olanzapine in acute-phase schizophrenia. Schizophr Res 158：213-222, 2014

5) Hatta K, Otachi T, Sudo Y, et al：A comparison between augmentation with olanzapine and increased risperidone dose in acute schizophrenia patients showing early non-response to risperidone. Psychiatry Res 198：194-201, 2012
6) Lin CH, Wang FC, Lin SC, et al：Antipsychotic combination using low-dose antipsychotics is as efficacious and safe as, but cheaper, than optimal-dose monotherapy in the treatment of schizophrenia：a randomized, double-blind study. Int Clin Psychopharmacol 28：267-274, 2013
7) Galling B, Roldán A, Rietschel L, et al：Safety and tolerability of antipsychotic co-treatment in patients with schizophrenia：results from a systematic review and meta-analysis of randomized controlled trials. Expert Opin Drug Saf 15：591-612, 2016
8) Chen JX, Su YA, Bian QT, et al：Adjunctive aripiprazole in the treatment of risperidone-induced hyperprolactinemia：a randomized, double-blind, placebo-controlled, dose-response study. Psychoneuroendocrinology 58：130-140, 2015
9) Anil Yağcıoğlu AE, Kivircik Akdede BB, Turgut TI, et al：A double-blind controlled study of adjunctive treatment with risperidone in schizophrenic patients partially responsive to clozapine：efficacy and safety. J Clin Psychiatry 66：63-72, 2005
10) Fleischhacker WW, Heikkinen ME, Olié JP, et al：Effects of adjunctive treatment with aripiprazole on body weight and clinical efficacy in schizophrenia patients with clozapine：a randomized, double-blind, placebo-controlled trial. Int J Neuropsychopharmacol 13：1115-1125, 2010
11) Chang JS, Ahn YM, Park HJ, et al：Aripiprazole augmentation in clozapine-treated patients with refractory schizophrenia：an 8-week, randomized, double-blind, placebo-controlled trial. J Clin Psychiatry 69：720-731, 2008
12) Lee BJ, Lee SJ, Kim MK, et al：Effect of aripiprazole on cognitive function and hyperprolactinemia in patients with schizophrenia treated with risperidone. Clin Psychopharmacol Neurosci 11：60-66, 2013

CQ 1-4
急性期の統合失調症で抗精神病薬の効果が不十分な場合に，抗精神病薬単剤治療と抗精神病薬以外の向精神薬との併用治療はどちらが適切か？

推奨

抗精神病薬にリチウム，バルプロ酸，ラモトリギン，ベンゾジアゼピン受容体作動薬などの抗精神病薬以外の向精神薬を併用しても，抗精神病薬単剤治療と比較し，精神症状全般の改善 D ，すべての理由による治療中断 C ，有害事象による治療中断 C ，有害事象の発現 C の違いはない．

これらエビデンスより，有効性と安全性を考慮すると，急性期の統合失調症で抗精神病薬の効果が不十分な場合に，抗精神病薬以外の向精神薬の併用治療を行うよりも抗精神病薬の単剤治療を行うことを弱く推奨する 2C ．

解説

本 CQ では，統合失調症患者に対して抗精神病薬の単剤治療を行った際に効果がみられない，もしくは部分反応しか示さない場合，抗精神病薬以外の向精神薬の併用が適切か否かについて評価したものである．なお，本 CQ で評価した向精神薬は，精神医療現場でしばしば併用されることがあるリチウム，バルプロ酸，ラモトリギン，ベンゾジアゼピン受容体作動薬であり，それ以外の向精神薬については検討しなかった．

リチウムの併用については，Cochrane Database Systematic Review でのメタ解析[1]のデータを中心に評価を行った．リチウムの併用による精神症状の改善は明らかではなく D ，すべての理由による治療中断については有意差がなく C ，有害事象による治療中断にも有意差がなく D ，生活の質（quality of life：QOL）に関する報告はなかった．また，一般論として，長期使用においては副作用が発現する潜在的なリスクがあることを考えておく必要がある．以上より，統合失調症にリチウムを併用しないことを弱く推奨する 2D ．

バルプロ酸の併用については，Cochrane Database Systematic Review のメタ解析[2]のデータを中心に評価を行った．バルプロ酸併用による精神症状の改善は明らかでなく D ，すべての理由による治療中断は増加せず B ，有害事象による治療中断も増加せず B ，有害事象も増えず C ，QOL に関しては信頼できる報告はなかった．また，一般論として，長期使用においては副作用が発現する潜在的なリスクがあることを考えておく必要がある．以上より，統合失調症にバルプロ酸を併用しないことを弱く推奨する 2D ．

ラモトリギンの併用については，Cochrane Database Systematic Review のメタ解析[3]のデータを中心に評価を行った．ラモトリギン併用による精神症状の改善は認められず **B**，すべての理由による治療中断は増えておらず **B**，すべての有害事象に関しては有意に増加している **C**．しかし，有害事象による治療中断が増加しているか否かの報告はない．QOL に関しては，信頼できる報告はなかった．以上より，統合失調症にラモトリギンを併用しないことを弱く推奨する **2B**．

ベンゾジアゼピン受容体作動薬の併用については，メタ解析[4]のデータを中心に評価を行った．ベンゾジアゼピン受容体作動薬併用による精神症状の改善は明らかでなく **D**，有害事象による治療中断に有意差はなく **C**，すべての理由による治療中断は増加せず **C**，すべての有害事象も増加せず **C**，QOL については報告がなかった．以上より，抗精神病薬にベンゾジアゼピン受容体作動薬の併用をしないことを弱く推奨する **2C**．なお不眠に対するベンゾジアゼピン受容体作動薬の使用に関する詳細は **CQ 6-1**（→126頁）を参照のこと．

本 CQ では上記 4 剤の併用について検討したが，どの薬剤も併用を推奨するには至らず，本邦ではどの薬剤も適応外使用となることにも留意すると，それらの使用に際しては慎重な検討が必要となろう．

これらエビデンスより，有効性と安全性を考慮すると，急性期の統合失調症で抗精神病薬の効果が不十分な場合に，抗精神病薬以外の向精神薬の併用治療を行うよりも抗精神病薬の単剤治療を行うことを弱く推奨する **2C**．

参考文献

1) Leucht S, Helfer B, Dold M, et al：Lithium for schizophrenia. Cochrane Database Syst Rev（10）：CD003834, 2015
2) Wang Y, Xia J, Helfer B, et al：Valproate for schizophrenia. Cochrane Database Syst Rev（11）：CD004028, 2016
3) Premkumar TS, Pick J：Lamotrigine for schizophrenia. Cochrane Database Syst Rev（4）：CD005962, 2006
4) Dold M, Li C, Tardy M, et al：Benzodiazepines for schizophrenia. Cochrane Database Syst Rev（11）：CD006391, 2012

第2章 安定・維持期の統合失調症治療

CQ 2-1 安定した統合失調症に抗精神病薬の中止は推奨されるか？

推奨

　安定した統合失調症において，抗精神病薬の継続に比べて抗精神病薬の中止により，再発の増加 A，再入院の増加 A，治療中断の増加 A，精神症状の悪化 A，生活の質（quality of life：QOL）の悪化 B が認められる．有害事象に関しては，抗精神病薬の継続に比べて抗精神病薬の中止により，1つ以上の有害事象の改善 A，アカシジアの改善 A，筋固縮の改善 B，振戦の改善 A は認められず，ジスキネジアの発現の増加 A が認められる．一方で，抗精神病薬の継続に比べて中止ではジストニアの発現の減少 A，鎮静の発現の減少 A，体重増加の発現の減少 A が認められる．

　これらエビデンスより，有効性と安全性を考慮すると，安定した統合失調症に抗精神病薬を中止せず継続することを強く推奨する 1A．

解説

　安定した統合失調症では，抗精神病薬の中止を希望する患者が多く存在する．また，もしそれが安全にできるのであれば，医師側にとっても，患者の要望に沿うかたちで治療を進めることができる．そのため，この臨床疑問は，患者と医師双方にとって極めて重要である．統合失調症の病期は急性期（acute phase），安定化期（stabilization phase），安定期（stable phase）に分類される．これらの病期について厳密に定義しているガイドラインやアルゴリズムはないが，一般に急性期は症状が活発で病状が不安定な時期，安定化期は症状が改善し病状が安定しつつある時期，安定期は症状が消失し病状が安定している時期というのが大まかなコンセンサスとなっている[1]．

　安定した統合失調症については厳密な定義がないために，本CQについては，安定を示したと考えられる統合失調症患者が組み入れ対象となっている，より包括的なメタ解析[2]を採用した〔65本の無作為化比較試験（randomized controlled trial：RCT），6,493例］．それによると，抗精神病薬の継続に比べて中止において「再発」の発現が有意に増加した〔N（研究数）=62, n（患者数）=6,392，リスク比 0.35，95%信頼区間 0.29～0.41，$p<0.00001$，継続22%：中止57%〕A．「再入院」の発現も，抗精神病薬の継続に比べて中止では有意に増加した（N=16, n=2,090，リスク比 0.38，95%信頼区間 0.27～0.55，$p<0.00001$，継続10%：中止26%）A．「治療中断」の発現は，抗精神病薬の継続に比べて中止では有意に増加した（N=57, n=4,718，リスク比 0.53，95%信頼区間 0.46～0.61，$p<0.00001$，継続30%：中止54%）A．抗精神病薬の中止では精神症状の改善なし又は悪化の発現が増加した（N=14, n=1,524,

リスク比 0.73，95% 信頼区間 0.64〜0.84，$p<0.00001$，継続 70%：中止 88%）A．抗精神病薬の中止によって QOL は悪化した（N＝3，n＝527，標準化平均値差＝−0.62，95% 信頼区間 −1.15〜−0.09，$p=0.02$）B．

有害事象については，抗精神病薬を継続と中止で，少なくとも 1 つの有害事象の改善について，違いは認められなかった（N＝10，n＝2,184）A．各有害事象に関して詳細は以下の通りである．抗精神病薬の継続に比べて中止は，ジスキネジアの発現に関しては増加した（N＝13，n＝1,820，リスク比＝0.52，95% 信頼区間 0.28〜0.97，$p=0.04$）A．一方，抗精神病薬の継続に比べて中止によってジストニアの発現の減少（N＝6，n＝824，リスク比 1.89，95% 信頼区間 1.05〜3.41，$p=0.04$）A，鎮静の発現の減少（N＝10，n＝2,146，リスク比 1.50，95% 信頼区間 1.22〜1.84，$p=0.0001$）A，体重増加の発現の減少（N＝10，n＝2,321，リスク比 2.07，95% 信頼区間 2.31〜3.25，$p=0.002$）A が認められた．なお，抗精神病薬の継続と中止でアカシジアの発現 A，筋固縮の発現 B および振戦の発現 A に差はみられなかった．

これらエビデンスより，有効性と安全性を考慮すると，安定した統合失調症に抗精神病薬を中止せず継続することを強く推奨する 1A．

参考文献

1) Takeuchi H, Suzuki T, Uchida H, et al：Antipsychotic treatment for schizophrenia in the maintenance phase：a systematic review of the guidelines and algorithms. Schizophr Res 134：219-225, 2012
2) Leucht S, Tardy M, Komossa K, et al：Antipsychotic drugs versus placebo for relapse prevention in schizophrenia：a systematic review and meta-analysis. Lancet 379：2063-2071, 2012

CQ 2-2 安定した統合失調症に抗精神病薬の減量は推奨されるか？

推奨

　安定した統合失調症における抗精神病薬の減量は，抗精神病薬の用量維持に比べ，再発が増加する **A** ものの，再入院の増加 **B**，治療中断の増加 **A**，精神症状全般の悪化 **B**，有害事象による治療中断 **A**，生活の質（quality of life：QOL）の改善 **B** に関しては違いが認められない．錐体外路症状の改善 **B**，体重の減少 **B**，陰性症状の改善 **B** についても違いが認められないが，抗精神病薬の減量で認知機能が改善する **C**．

　これらエビデンスより，有効性と安全性を考慮すると，安定した統合失調症において，抗精神病薬の減量は行わず，用量を維持することを弱く推奨する **2A**．

　なお，減量後の用量がクロルプロマジン換算で 200 mg/日超であれば，減量と用量維持との間で再発に差がみられないことにより，減量後の用量がクロルプロマジン換算 200 mg/日超となるのであれば，減量を試みる価値があるかもしれない．

解説

　統合失調症の症状，特に幻覚妄想や解体といった陽性症状に対し，抗精神病薬は治療の中心的役割を果たす．陽性症状が活発な急性期ばかりでなく，これらが安定した後の維持期においても，再発防止のために抗精神病薬の継続が必要とされる[1]（詳細は **CQ 2-1** を参照→44頁）．一方で，抗精神病薬は錐体外路症状，高プロラクチン血症，代謝障害，心血管障害などさまざまな副作用を惹起する．錐体外路症状[2]，心臓突然死[3]，静脈血栓症[4]，心筋梗塞[5]，さらに抗精神病薬による認知機能低下[6-8]は，第一世代・第二世代抗精神病薬を問わず，用量が増えるとリスクが高まる．このような抗精神病薬の用量依存性の副作用を考慮すると，抗精神病薬は必要最小限の用量で投与されるのが理想的と考えられる．また，急性期の精神症状が安定した後，抗精神病薬を減量したいと考えるのは，当事者やその家族にとっても自然のことであろう．よって，安定した統合失調症において，果たして急性期に要した用量の継続が必要であるか，減量が可能か否か，検討が望ましい．

　系統的文献検索を行った結果，抗精神病薬の減量と用量維持を比べた無作為化比較試験（randomized controlled trial：RCT）のメタ解析〔N（研究数）＝18，n（患者数）＝1,385〕を採用した[9]．抗精神病薬の用量維持に比べ，減量は，再発の発現について，有意に多かった（N＝13，n＝902，リスク比 1.96，95％信頼区間 1.23〜3.12，$p=0.005$）**A**．一方，再入院の増加 **B**，治療中断の増加 **A**，精神症状全般の悪化 **B**，有害事象による治療中断 **A**，錐

体外路症状の改善 **B**，体重の減少 **B**，陰性症状の改善 **B**，QOL の改善 **B** については有意な差がなかった．認知機能は，抗精神病薬の減量は抗精神病薬の用量維持に比べ，有意に改善した（N＝2，n＝136，標準化平均値差＝0.69，95％信頼区間 0.25〜1.12，p＝0.002）**C**．このように抗精神病薬の減量は再発を増加させるリスクがあり，有害事象についてはごく少数の RCT で認知機能の改善が認められるにとどまる．

　これらエビデンスより，有効性と安全性を考慮すると，安定した統合失調症において，抗精神病薬の減量は行わず，用量を維持することを弱く推奨する **2A**．

　なお，減量後の用量がクロルプロマジン換算で，200 mg/日以下となる群と 200 mg/日超となる群を比較するサブグループ解析を行ったところ，減量後の用量が 200 mg/日超であれば，再発に有意な差はなかった（N＝7，n＝345，リスク比 1.07，95％信頼区間 0.57〜2.02，p＝0.83）[9]．すなわち，減量後の用量がクロルプロマジン換算で 200 mg/日超であれば，減量を試みる価値がある．この結果は，本ガイドライン作成手順においては，準推奨に相当する部分であるが，当事者・家族を含むガイドライン作成メンバーで討議を重ねた結果，推奨に含めることとした．

参考文献

1) Leucht S, Tardy M, Komossa K, et al：Antipsychotic drugs versus placebo for relapse prevention in schizophrenia：a systematic review and meta-analysis. Lancet 379：2063-2071, 2012
2) Simpson GM, Lindenmayer JP：Extrapyramidal symptoms in patients treated with risperidone. J Clin Psychopharmacol 17：194-201, 1997
3) Ray WA, Chung CP, Murray KT, et al：Atypical antipsychotic drugs and the risk of sudden cardiac death. N Engl J Med 360：225-235, 2009
4) Parker C, Coupland C, Hippisley-Cox J：Antipsychotic drugs and risk of venous thromboembolism：nested case-control study. BMJ 341：c4245, 2010
5) Lin ST, Chen CC, Tsang HY, et al：Association between antipsychotic use and risk of acute myocardial infarction：a nationwide case-crossover study. Circulation 130：235-243, 2014
6) Elie D, Poirier M, Chianetta J, et al：Cognitive effects of antipsychotic dosage and polypharmacy：a study with the BACS in patients with schizophrenia and schizoaffective disorder. J Psychopharmacol 24：1037-1044, 2010
7) Knowles EE, David AS, Reichenberg A：Processing speed deficits in schizophrenia：reexamining the evidence. Am J Psychiatry 167：828-835, 2010
8) Hori H, Yoshimura R, Katsuki A, et al：The cognitive profile of aripiprazole differs from that of other atypical antipsychotics in schizophrenia patients. J Psychiatr Res 46：757-761, 2012
9) Tani H, Takasu S, Uchida H, et al：Factors associated with successful antipsychotic dose reduction in schizophrenia：a systematic review of prospective clinical trials and meta-analysis of randomized controlled trials. Neuropsychopharmacology 45：887-901, 2020

CQ 2-3
安定した統合失調症に抗精神病薬の投与間隔延長と間欠投与は推奨されるか？

推奨

安定した統合失調症に対する抗精神病薬の投与間隔延長もしくは間欠投与は，抗精神病薬の継続投与に比べ，再発の増加 **A**，再入院の増加 **A**，治療中断の増加 **C** が認められるが，精神症状の悪化 **B** と生活の質（quality of life：QOL）の改善 **C** については差が認められない．一方，抗精神病薬の投与間隔延長もしくは間欠投与は，抗精神病薬の継続投与に比べ，錐体外路症状の発現の減少 **C** が認められるが，薬剤の追加を必要としたあらゆる副作用の発現 **C**，遅発性ジスキネジアの発現 **B** については差が認められない．

これらエビデンスより，有効性と安全性を考慮すると，安定した統合失調症に投与間隔延長もしくは間欠投与を行わず，継続投与することを弱く推奨する **2A**．

解説

統合失調症の抗精神病薬治療において，服薬は毎日行う継続投与が一般的だが，安定した患者において薬剤を服用する回数を減じていきたいと考えるのは当然の心理であろう．投与間隔を通常より延長するものの規則的に服薬する投与間隔延長（extended dosing）や，通常は服薬せずに精神病症状の再燃が疑われた段階で服薬を再開するような間欠投与（targeted or intermittent strategy）が存在する．本 CQ では，**CQ 2-1**（→44頁）に準ずる定義の安定した統合失調症において検討を行った．

安定した統合失調症において抗精神病薬の間欠投与法と継続投与法を比較した無作為化比較試験（randomized controlled trial：RCT）の De Hert らのメタ解析[1]において，間欠投与は継続投与に比べ再発の増加は有意に多かった〔N（研究数）=10，n（患者数）=1,230，オッズ比 3.36，95% 信頼区間 2.36〜5.45，$p<0.0001$〕**A**．これは，初回エピソード患者でも複数エピソード患者でも同様の結果であった．Sampson らのメタ解析[2]のうち最も長い観察期間の検討である 26 週以上の観察期間では，投与間隔延長・間欠投与は継続投与法に比べ有意に再発の発現が多かった（N=7，n=436，リスク比 2.46，95% 信頼区間 1.70〜3.54，$p<0.00001$）．再入院について投与間隔延長・間欠投与は継続投与法に比べ有意に再入院が増加した（N=5，n=626，リスク比 1.65，95% 信頼区間 1.33〜2.06，$p<0.00001$）[2] **A**．治療中断については，投与間隔延長・間欠投与は継続投与法に比べ有意に増加した（N=10，n=996，リスク比 1.63，95% 信頼区間 1.23〜2.15，$p=0.00064$）**C** が，精神症状の悪化 **B** や QOL の改善 **C** については継続投与と比べ有意な差がなかった[2]．

有害事象については，パーキンソン症状に関しては継続投与と比べ投与間隔延長・間欠投与で有意にその発現が減少した（N＝1，n＝43，リスク比 0.13，95％信頼区間 0.02〜0.96，p＝0.045）が，含まれた RCT は 1 本であった[2] C．薬剤の追加を必要としたあらゆる副作用の発現 C や遅発性ジスキネジアの発現 B に関して両者に有意な差はなかった．

このように，抗精神病薬の継続投与と比べ投与間隔延長もしくは間欠投与では再発と再入院が増加する一方，錐体外路症状の発現は減少したが，薬剤の追加を必要としたあらゆる副作用や遅発性ジスキネジアの発現については両者で差が認められなかった．

これらエビデンスより，有効性と安全性を考慮すると，安定した統合失調症に投与間隔延長もしくは間欠投与を行わず，継続投与することを弱く推奨する 2A．

参考文献

1) De Hert M, Sermon J, Geerts P, et al：The use of continuous treatment versus placebo or intermittent treatment strategies in stabilized patients with schizophrenia：a systematic review and meta-analysis of randomized controlled trials with first- and second-generation antipsychotics. CNS Drugs 29：637-658, 2015
2) Sampson S, Mansour M, Maayan N, et al：Intermittent drug techniques for schizophrenia. Cochrane Database Syst Rev（7）：CD006196, 2013

CQ 2-3　補記：服薬の方法

統合失調症の抗精神病薬治療において，服薬は毎日行うことが一般的であるが，安定した患者においては服用する回数を減じていきたいと考えるのは当然の心理であろう．
服薬の方法については図示すると以下のようになる［図1］．

❶ 継続投与法（continuous dosing）

毎日一定の時間に服薬する方法である．薬は代謝半減期に合わせて服薬することを繰り返すと，5〜6回程度の服薬後に薬物血中濃度が定常状態となり安定する．一定の血中濃度を維持することで向精神薬の効果が得られると考えられ，臨床試験もこの考え方に立って行われており，効果のエビデンスがある投与法のため最も推奨される投与法である．

❷ 投与間隔延長法（extended dosing）

投与間隔を通常より延長しつつも規則的に服薬する方法である．例えば，1日に1回の服薬を3日に1回の服薬とすることなどが考えられる．広義には，1日3回服薬すべき薬を1日1回にまとめることも含まれる．

❸ 間欠投与法（targeted or intermittent dosing）

通常は服薬せずに，精神病症状の再燃が疑われた段階で服薬を再開するような方法である．服薬していないときには血中濃度は限りなく低くなり，場合によっては全く服薬していないことと同等になる．

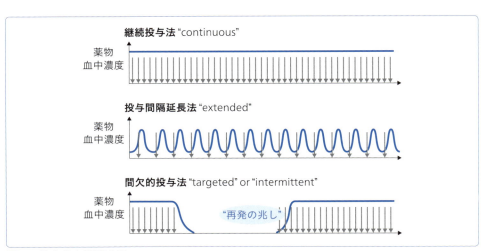

図1　代表的な服薬方法
（EGUIDE*プロジェクト講習会の資料より転載）
*Effectiveness of GUIdeline for Dissemination and Education in psychiatric treatment：精神科医療の普及と教育に対するガイドラインの効果に関する研究

統合失調症の維持期治療に，第一世代抗精神病薬と第二世代抗精神病薬のどちらが有用か？

準推奨

　統合失調症の維持期治療において，第二世代抗精神病薬（second generation antipsychotics：SGAs）は第一世代抗精神病薬（first generation antipsychotics：FGAs）と比べて再発が少なく，再入院も少ない．一方，すべての理由による治療の中断に違いは認められない．また，長期に抗精神病薬を使用している統合失調症患者において，SGAsはFGAsと比べて遅発性ジスキネジアが少ない．

　以上より，統合失調症の維持期治療において，FGAsよりもSGAsを使用することが望ましい．

解説

　再発の繰り返しは精神病症状の悪化や社会機能の低下を引き起こすことが知られている．そのため，統合失調症の維持期治療において，再発予防は最重要課題の1つである．統合失調症の病期は，急性期（acute phase），安定化期（stabilization phase），安定期（stable phase）に分類される．これらの病期について厳密に定義しているガイドラインやアルゴリズムはないが，急性期は症状が活発で病状が不安定な時期，安定化期は症状が改善し病状が安定しつつある時期，安定期は症状が消失し病状が安定している時期というのが統一見解に近いものとなっている[1]．安定化期と安定期を合わせて維持期（maintenance phase）と定義する場合が多く，本CQではこの維持期の治療について述べている．

　本CQに該当する系統的レビューや無作為化比較試験（randomized controlled trial：RCT）を検索したものの，全体としての十分なエビデンスは得られなかったため，観察研究を含めたハンドサーチにて検索したエビデンスを含めて，準推奨文および解説を作成した．統合失調症の維持期治療においてFGAsとSGAsの再発予防効果を比較したメタ解析〔N（研究数）＝23，n（患者数）＝4,504〕をKishimotoらが報告している[2]．メタ解析の組み入れ基準は，FGAsとSGAsを直接比較した研究で，6か月以上追跡したもの（平均期間：61.9±22.4週）であった．メタ解析に包括された各抗精神病薬の試験数は，SGAsではamisulpride 3試験，アリピプラゾール2試験，クロザピン4試験，iloperidone 3試験，オランザピン6試験，クエチアピン1試験，リスペリドン6試験，sertindole 1試験，ziprasidone 1試験であり，FGAsでは23試験中21試験がハロペリドールであった．SGAsはFGAsに比べて有意に再発が少なかったが，その優位性は僅かだった（SGAsの再発率

29.0%，FGAs の再発率 37.5%，リスク比＝0.80，治療効果発現必要症例数＝17，$p=0.0007$）．同様に，SGAs は FGAs に比して有意に再入院が少なかった（リスク比 0.72，$p=0.004$）．一方，すべての理由による治療の中断は FGAs と比較して SGAs の方が少ない傾向にあったが，有意差は認められなかった（リスク比 0.90，$p=0.06$）．

遅発性ジスキネジアは，抗精神病薬を長期使用していると出現する不随意運動であり，一度発症すると不可逆的な場合もある．FGAs と SGAs の遅発性ジスキネジアの発症リスクを比較したメタ解析（N＝32，n＝10,706）を Carbon らが報告している[3]．ここでは，抗精神病薬を使用している統合失調症患者に対し，維持期に限らず組み入れがなされているが，その罹病期間は SGAs で 14 年，FGAs で 13.7 年であり，比較的長期に抗精神病薬を使用している患者とみなすことができるものであった．それによると SGAs は FGAs に比して有意に遅発性ジスキネジアの発症が少なかった（SGAs の発症率 2.6%，FGAs の発症率 6.5%，リスク比 0.47，治療効果発現必要症例数＝20，$p<0.0001$）．

生活の質（quality of life：QOL）の改善および死亡の増加は重要なアウトカムであるが，これらに関する明確なエビデンスは得られなかった．

以上より，統合失調症の維持期治療において，FGAs よりも SGAs を使用することが望ましい．

参考文献

1) Takeuchi H, Suzuki T, Uchida H, et al：Antipsychotic treatment for schizophrenia in the maintenance phase：a systematic review of the guidelines and algorithms. Schizophr Res 134：219-225, 2012
2) Kishimoto T, Agarwal V, Kishi T, et al：Relapse prevention in schizophrenia：a systematic review and meta-analysis of second-generation antipsychotics versus first-generation antipsychotics. Mol Psychiatry 18：53-66, 2013
3) Carbon M, Kane JM, Leucht S, et al：Tardive dyskinesia risk with first- and second-generation antipsychotics in comparative randomized controlled trials：a meta-analysis. World Psychiatry 17：330-340, 2018

CQ 2-5 統合失調症の維持期治療に，抗精神病薬の持効性注射剤は有用か？

準推奨

組み入れ患者の服薬アドヒアランスが担保されていると考えられる条件での研究において，持効性注射剤（long acting injection：LAI）は経口薬と比較して，再発率，有害事象による治療中断，死亡について違いは認められない．一方で，服薬アドヒアランスが担保されていないという実臨床に近い条件での研究データからは，LAI は経口薬と比較して，再入院，すべての要因による治療中断，死亡は少ない．以上より，統合失調症の維持期治療では，服薬アドヒアランス低下による再発が問題になるケースについては LAI の使用が望ましい．また，患者が希望する場合は LAI の使用が望ましい．

解説

実臨床では多くの当事者が服薬アドヒアランス低下の問題に直面することが知られているが，これを"悪い振る舞い"と捉えるのではなく，そもそも服薬アドヒアランスとは悪化しやすいものだと考えることが，医療者には求められている．この問題を克服するべく，抗精神病薬が体内で一定の血中濃度を保つよう設計された製剤が LAI であるのだが，その有効性が最大限に発揮されるのは，服薬アドヒアランスが低下する状況下においてこそであると考えられる[1]．実際，LAI と経口薬を比較したメタ解析結果においては，エビデンスレベルの高い無作為化比較試験（randomized controlled trial：RCT）に基づく研究デザインと，より実臨床に沿った条件設定ながらもエビデンスレベルの低い観察研究とでは異なることが報告されている[2]．本ガイドラインでは，観察研究の研究デザインではエビデンスレベルが低くなるために推奨の適用となるには至らず，準推奨としての検討となっている．

再発率に関して，RCT のメタ解析〔N（研究数）＝21，n（患者数）＝5,176〕では LAI と経口薬の再発予防効果に有意差は認められなかったが[3]，観察研究に関する評価は実施されていない．

入院に関して，前述の RCT のメタ解析において LAI の経口薬に対する有意差は認められなかった[3]．一方で，ミラーイメージ研究のメタ解析（N＝25，n＝5,940）では，LAI は，入院の予防〔N＝16，n＝4,066，リスク比 0.43（95% 信頼区間 0.35〜0.53），$p<0.001$；異質性：$\tau^2=0.117$，$I^2=87.6\%$，$Q=121$，$df=15$，$p<0.001$〕や入院回数の減少〔N＝15，6,342 人年（入院数をリスクのある年数で割って算出），リスク比 0.38（95% 信頼区間 0.28〜0.51），$p<0.001$；異質性：$\tau^2=$

0.301, $I^2=95.0\%$, $Q=280$, $df=14$, $p<0.001$〕について，研究間のばらつきは大きいものの経口薬に対して有意差が認められた[4]．コホート研究のメタ解析（N＝42, n＝101,624）でも，入院率〔N＝15, 68,009人年，リスク比0.85（95%信頼区間0.78～0.93），$p<0.001$；治療効果発現必要症例数＝6（95%信頼区間4～17）；異質性：$\tau^2=0.02$, $I^2=94.9\%$, $Q=272.6$, $df=14$, $p<0.001$〕について，有意な研究間の異質性が認められたもののLAIは経口薬に対して有意差が認められた[5]．

すべての要因による治療中断について，LAIの経口薬に対する有意差は前述のRCTのメタ解析において認められなかったが[3]，前述のコホート研究を対象としたメタ解析において，LAIは経口薬に対して有意差が認められた〔N＝10, n＝37,293, リスク比0.78（95%信頼区間0.67～0.91），$p=0.001$；異質性：$\tau^2=0.04$, $I^2=93.0\%$, $Q=128.6$, $df=9$, $p<0.001$〕[5]．有害事象による治療中断に関して，前述のRCTのメタ解析においてLAIの経口薬に対する有意差は認められておらず[3]，観察研究に関する評価は実施されていない．死亡に関するRCTに基づいたメタ解析（N＝52, n＝17,416）では，LAIと経口薬との間に有意差は認められなかった[6]．また，スウェーデンで収集されたデータベース（n＝29,823）に基づき，全原因死亡率とLAIを含めた各薬剤との関連を評価した研究によると（評価期間：平均5.7年，中央値6.9年），最も低い累積死亡率が第二世代抗精神病薬（second generation antipsychotics：SGAs）のLAI使用例で観察され〔最大追跡期間7.5年，SGAsのLAI 7.5%，SGAsの経口薬8.5%，第一世代抗精神病薬（first generation antipsychotics：FGAs）の経口薬12.2%，FGAsのLAI 12.3%，抗精神病薬未使用15.2%〕，全LAI使用例における死亡リスク〔ハザード比0.67（95%信頼区間0.56～0.80），$p<0.0001$〕は全経口薬使用例よりも有意に低かったとしている[7]．なお，LAIを使用する際は添付文書および適正使用ガイドなどに記載されている注意事項に留意し，適正に使用する必要があるのは言うまでもない．

LAI使用に伴う生活の質（quality of life：QOL）への影響に関するメタ解析によると[8]，2本のRCT[9,10]においてQOL平均変化が有意だったものの，各研究で異なる評価尺度が使用されておりデータを統合できなかったとしている．また，SGAsのLAIは，薬剤によって臨床症状と機能評価の関連性に差異が認められていることなどから，現段階ではどの薬剤のLAIを選択するのかということに関して十分な知見が得られていない現状を指摘した研究もある[11]．

LAIは経口薬よりも薬価が高いが，その費用対効果は良好であるという報告がある[12]．しかし，十分に信頼できる研究が集積されているとはいえず，今後の研究を待ちたい．また，患者が希望する場合には，その選択を考慮することは言うまでもないことであるが，患者のLAIに対する理解がある程度深まった上で導入することが望ましいことは改めて言うまでもないことであり，医療者には丁寧な説明が求められるところである．

以上，統合失調症の維持期治療では，服薬アドヒアランス低下による再発が問題になるケースについてはLAIの使用が望ましい．また，患者が希望する場合はLAIの使用が望ましい．

参考文献

1) Correll CU, Citrome L, Haddad PM, et al：The use of long-acting injectable antipsychotics in schizophrenia：evaluating the evidence. J Clin Psychiatry 77（suppl 3）：1-24, 2016
2) Kirson NY, Weiden PJ, Yermakov S, et al：Efficacy and effectiveness of depot versus oral antipsychotics in schizophrenia：synthesizing results across different research designs. J Clin Psychiatry 74：568-575, 2013
3) Kishimoto T, Robenzadeh A, Leucht C, et al：Long-acting injectable vs oral antipsychotics for relapse prevention in schizophrenia：a meta-analysis of randomized trials. Schizophr Bull 40：192-213, 2014
4) Kishimoto T, Nitta M, Borenstein M, et al：Long-acting injectable versus oral antipsychotics in schizophrenia：a systematic review and meta-analysis of mirror-image studies. J Clin Psychiatry 74：957-965, 2013
5) Kishimoto T, Hagi K, Nitta M, et al：Effectiveness of long-acting injectable vs oral antipsychotics in patients with schizophrenia：a meta-analysis of prospective and retrospective cohort studies. Schizophr Bull 44：603-619, 2018
6) Kishi T, Matsunaga S, Iwata N：Mortality risk associated with long-acting injectable antipsychotics：a systematic review and meta-analyses of randomized controlled trials. Schizophr Bull 42：1438-1445, 2016
7) Taipale H, Mittendorfer-Rutz E, Alexanderson K, et al：Antipsychotics and mortality in a nationwide cohort of 29,823 patients with schizophrenia. Schizophr Res 197：274-280, 2018
8) Park SC, Choi MY, Choi J, et al：Comparative efficacy and safety of long-acting injectable and oral second-generation antipsychotics for the treatment of schizophrenia：a systematic review and meta-analysis. Clin Psychopharmacol Neurosci 16：361-375, 2018
9) Ascher-Svanum H, Novick D, Haro JM, et al：Predictors of psychiatric hospitalization during 6 months of maintenance treatment with olanzapine long-acting injection：post hoc analysis of a randomized, double-blind study. BMC Psychiatry 13：224, 2013
10) de Arce Cordón R, Eding E, Marques-Teixeira J, et al：Descriptive analyses of the aripiprazole arm in the risperidone long-acting injectable versus quetiapine relapse prevention trial（ConstaTRE）. Eur Arch Psychiatry Clin Neurosci 262：139-149, 2012
11) Montemagni C, Frieri T, Rocca P：Second-generation long-acting injectable antipsychotics in schizophrenia：patient functioning and quality of life. Neuropsychiatr Dis Treat 12：917-929, 2016
12) Achilla E, McCrone P：The cost effectiveness of long-acting/extended-release antipsychotics for the treatment of schizophrenia：a systematic review of economic evaluations. Appl Health Econ Health Policy 11：95-106, 2013

CQ 2-5 補記： 持効性注射剤（LAI）と服薬アドヒアランス

　抗精神病薬には錠剤，散剤，注射剤などの剤型があり，それらの持つ特徴を考慮して，使い分けがなされている．中でも，注射剤の1つである持効性注射剤（long acting injection：LAI）は，他の選択では得られない特徴を持つことから，臨床現場では極めて重要な位置を占めている．

　LAIの特徴は，筋肉内に投与されることで数週間にわたり安定して体内に薬剤が放出される状態を作り出すことである．LAIは第一世代抗精神病薬が主流であった頃から使用されており，第二世代抗精神病薬が主流となって以降も薬物動態学的な改良が進められている．現在の代表的なLAIは，使用時に専用懸濁用液を用いて懸濁し所定の筋肉内に投与することで，投与部位で徐々に溶解し加水分解されて活性体となり，吸収されるが，これにより薬理作用の安定性はさらに増すこととなった．

　統合失調症は慢性の精神疾患であり，急性期における治療だけではなく，長期にわたる維持期の治療も重要となる．維持期における精神症状の再発や再燃の予防は生活の質（quality of life：QOL）の向上と密接に結びつき，再発を繰り返す中で社会生活機能が徐々に低下して完全な回復が困難になることもあることを踏まえると，この時期の治療の安定は患者と医療者双方にとって切実な目標となろう．

　従来は「医療者の指示に患者がどの程度従うか」というコンプライアンス概念のもと患者は評価を受けてきたが，現在では「患者自らが積極的に治療方針の決定に参加し，その決定に従って治療を受けること」（アドヒアランス）が重要視されるようになり，統合失調症の維持期の治療の成否にも，このアドヒアランスが大きく関わってくるとされている．とりわけ薬物治療に関する服薬アドヒアランス（患者が自ら選択して治療に関わることで内服を遵守すること）は極めて重要である．統合失調症の治療経過ではさまざまな要因によって服薬アドヒアランスは低下し，そのためにしばしば病状の悪化をみる．このような事態を避けるために，LAIが維持期の治療における重要な選択肢となることが期待される．

第3章 抗精神病薬の薬剤性錐体外路系副作用

抗精神病薬による薬剤性パーキンソン症状に推奨される治療法および予防法は何か？

準推奨

　薬剤性パーキンソン症状が発現した際は，原則として原因薬剤を減量し，重篤な場合は一旦中止し，他の抗精神病薬を投与する．原因薬剤が精神症状に効果がある場合は，その減量・中止の是非について慎重に検討する．抗精神病薬を変更する場合は，第二世代抗精神病薬（second generation antipsychotics：SGAs）などのパーキンソン症状のリスクが低い抗精神病薬が望ましい．やむを得ず，抗コリン薬を追加する場合は，抗コリン性副作用に注意する．

　薬剤性パーキンソン症状の予防法としては第一世代抗精神病薬（first generation antipsychotics：FGAs）よりもSGAsを選択する方が望ましい．

解説

　薬剤性パーキンソン症状は，薬剤投与後数週間以内に発症する．中年以降に発症しやすく，多くの場合，抗精神病薬の用量依存性に発症リスクが高まるが，脳器質性疾患の存在や加齢など個人の脆弱性も発症に影響する[1]．特発性パーキンソン症状と似て，筋固縮，寡動，構音障害，嚥下障害，姿勢調節障害などを認めるが，薬剤性の場合，両側性が一般的で，静止時振戦がみられないことがあるなどの違いがある[2]．薬剤性パーキンソン症状は，患者の行動を妨げ，不活発，転倒，誤嚥などの原因になるほか，遅発性ジスキネジアのリスクともなるため，その対処は重要である[3]．

　本CQに該当する系統的レビューや無作為化比較試験（randomized controlled trial：RCT）を検索したものの，全体としての十分なエビデンスは得られなかったため，観察研究を含めたハンドサーチにて検索したエビデンスを含めて，準推奨文および解説を作成した．抗精神病薬の副作用が発現した際の一般原則として，他の薬剤性副作用の場合と同様に，原因薬剤を減量し重篤な場合は一旦中止し，他の抗精神病薬を投与することや，原因薬剤が精神症状に効果がある場合は，その減量・中止の是非について慎重に検討することは，自明であるため，質のよい研究はほとんどなされていない．良質な研究がないからといって，自明であることを否定する根拠にはならないため，薬剤性パーキンソン症状についてもこの一般原則を最初に記載し，その次に一般原則で対応が困難な場合に検討する治療法について述べた．

　抗精神病薬による薬剤性パーキンソン症状に対する抗精神病薬の変更について，個別薬剤に関する十分なエビデンスはなかった．『モーズレイ処方ガイドライン 第13版』[4]や

生物学的精神医学会世界連合（World Federation of Societies of Biological Psychiatry：WFSBP）のガイドライン[5]では，薬剤性パーキンソン症状のリスクはFGAsでは高いものが多く，SGAsでは低いものが多いことが示されている．よって，抗精神病薬を変更する場合は，SGAsなどのパーキンソン症状のリスクが低い抗精神病薬が望ましい．

抗精神病薬による薬剤性パーキンソン症状に対する他の治療法の追加についてのRCTでは，ビペリデン追加とアマンタジン追加[6]，そしてクロナゼパムの追加[7]に関する報告がある．どの研究においてもエビデンスの質が低く，結論を出すことはできなかった．ただし，統合失調症の薬物療法（抗精神病薬）によって薬剤性パーキンソン症状がしばしば生じるため，臨床家はRCTのエビデンスより，コンセンサスガイドライン，もしくは過去の経験をもとに治療をしているのが現状[8,9]である．薬剤性パーキンソン症状の治療について，いくつかのガイドラインやレビューでは，抗精神病薬の減量，SGAsなどのパーキンソン症状のリスクが低い抗精神病薬への変更，抗コリン薬の追加[4,5,10-13]，またはドパミン作動薬の追加[5,10-13]が明記されている．一方で，抗コリン薬またはドパミン作動薬の追加について，抗コリン薬は抗コリン作用の副作用を引き起こす可能性があり，ドパミン作動薬には精神病を悪化させる潜在的なリスクがあり，これらの薬剤の過剰投与と慢性的な使用は避けるか，最小限に抑える必要があることが言及されている[5,11]．

薬剤性パーキンソン症状の予防としての抗精神病薬の選択については，発生リスクの低い薬剤が望ましいと考えられる．上記に記載したように，FGAsよりもSGAsの方がリスクが低いことが知られており，SGAsを選択する方が望ましい．一方で，個々の薬剤に関するリスクの比較研究からは十分なエビデンスが得られていないため，本ガイドラインでは日本の臨床研究における頻度情報を示すこととした[14]．定量的な順位づけは困難であり，臨床上の参考にするための目安として理解されたい．薬剤性パーキンソン症状の出現が最も顕著と思われたのがハロペリドールであり，振戦が約40%，運動緩慢が約30%，歩行異常と筋骨格硬直と流涎過多が約25%であった．SGAsについては，振戦の発生頻度はブロナンセリンとリスペリドンが約20%，ペロスピロンが約15%，オランザピンとアリピプラゾールが約10%と相対的に高かったのに対し，筋固縮・筋骨格硬直の発生頻度はリスペリドン，ペロスピロン，ブロナンセリンが約10%，歩行異常，歩行困難の発生頻度はリスペリドンが約15%と相対的に高かった．

薬剤性パーキンソニズムの予防法について，抗精神病薬にトリヘキシフェニジルを併用した試験があるが，十分なエビデンスが得られていない．国際神経精神薬理学会（International College of Neuropsychopharmacology：CINP）のガイドラインではリスクの高い抗精神病薬の場合に予防的な抗コリン薬を検討する必要があること，また抗コリン薬にも副作用があることから予防的な抗コリン薬投与はリスクの高い抗精神病薬にのみ考慮すべきであること，さらに抗コリン薬を予防的に使用する場合は治療が実施された後，減量・中止することが記載されている[10]．

薬剤性パーキンソン症状の予防法としてはFGAsよりもSGAsを選択する方が望ましい．

参考文献

1) López-Sendón JL, Mena MA, de Yébenes JG：Drug-induced parkinsonism in the elderly：incidence, management and prevention. Drugs Aging 29：105-118, 2012
2) Montastruc JL, Llau ME, Rascol O, et al：Drug-induced parkinsonism：a review. Fundam Clin Pharmacol 8：293-306, 1994
3) Sachdev P：Early extrapyramidal side-effects as risk factors for later tardive dyskinesia：a prospective study. Aust N Z J Psychiatry 38：445-449, 2004
4) Taylor D, Barnes TRE, Young AH：The Maudsley Prescribing Guidelines in Psychiatry 13th edition. Wiley Blackwell, Hoboken, 2018
 https://dl.uswr.ac.ir/bitstream/Hannan/32636/1/9781119442608.pdf
5) Hasan A, Falkai P, Wobrock T, et al：World Federation of Societies of Biological Psychiatry（WFSBP）Guidelines for Biological Treatment of Schizophrenia, Part 2：Update 2012 on the long-term treatment of schizophrenia and management of antipsychotic-induced side effects, 2013
 https://www.wfsbp.org/educational-activities/wfsbp-treatment-guidelines-and-consensus-papers/
6) Silver H, Geraisy N, Schwartz M：No difference in the effect of biperiden and amantadine on parkinsonian- and tardive dyskinesia-type involuntary movements：a double-blind crossover, placebo-controlled study in medicated chronic schizophrenic patients. J Clin Psychiatry 56：167-170, 1995
7) Horiguchi J, Nishimatsu O：Usefulness of antiparkinsonian drugs during neuroleptic treatment and the effect of clonazepam on akathisia and parkinsonism occurred after antiparkinsonian drug withdrawal：a double-blind study. Jpn J Psychiatry Neurol 46：733-739, 1992
8) Dickenson R, Momcilovic S, Donnelly L：Anticholinergics versus placebo for neuroleptic-induced parkinsonism. Cochrane Database Syst Rev（6）：CD011164, 2014
9) Dickenson R, Momcilovic S, Donnelly L：Anticholinergics vs placebo for neuroleptic-induced parkinsonism. Schizophr Bull 43：17, 2017
10) International College of Neuropsychopharmacology（CINP）：Schizophrenia Guidelines
 https://cinp.org/Guidelines/
11) American Psychiatric Association（APA）：Practice Guideline for the Treatment of Patients With Schizophrenia, Second Edition. Am J Psychiatry 161（2 Suppl）：1-56, 2004
12) Factor SA, Burkhard PR, Caroff S, et al：Recent developments in drug-induced movement disorders：a mixed picture. Lancet Neurol 18：880-890, 2019
13) Caroff SN, Campbell EC：Drug-induced extrapyramidal syndromes：implications for contemporary practice. Psychiatr Clin North Am 39：391-411, 2016
14) 稲垣 中, 佐藤英樹, 稲田 健, 他：わが国で実施された臨床試験と使用成績調査の結果から見た抗精神病薬による統合失調症薬物治療の安全性. 臨床精神薬理 24：1153-1169, 2021

補記： 抗精神病薬の薬剤性錐体外路系副作用

　錐体外路系副作用は抗精神病薬のドパミン D_2 遮断作用により中脳黒質線条体系の働きが阻害されるなど，大脳基底核の機能障害のため円滑な筋肉の運動や姿勢保持ができなくなるものをいう．抗精神病薬の投与開始か増量後に生じやすい急性副作用と投与後数か月以上経ってから出現することが多い遅発性副作用に大きく分かれる．重症化して呼吸や咀嚼，嚥下に影響が及ぶと，誤嚥性肺炎などに至る場合や，稀ではあるが喉頭ジストニアなど命に関わる場合もある．

　長らく錐体外路系副作用は，統合失調症を有する患者にとって，生活を困難にする副作用の最たるものであった．運動や姿勢の障害は日常生活の困難につながり，構音障害や表情の乏しさがコミュニケーションに影響を与え，統合失調症に対するスティグマを強化す

表1　錐体外路系副作用

副作用	症状	出現時期	備考
CQ3-1 パーキンソン症状	無動，筋固縮，寡動，振戦，構音障害，姿勢調節障害など	投与後数週でみられ，中年以降に多い	抑うつ症状や感情鈍麻，重症例では昏迷状態と鑑別困難なことがある
CQ3-2 急性ジストニア	不随意的，継続的な筋収縮による異常姿勢や筋硬直．眼球上転や頸部・軀幹の捻転など．喉頭ジストニアでは命に関わる場合もある	投与後3日以内に出現，若年男性に多い	緊張病，転換症状との鑑別が必要
CQ3-3 アカシジア	静坐不能，足踏みなど．「投与前の精神症状とは異なる落ち着きのなさ」に注目する．強い不安焦燥感を伴い，自傷や自殺，他害の誘因となることもある	急性は投与後3日〜2週間以内に出現し，遅発性は数か月から数年経って発現する	血清鉄の低下や糖尿病が増悪因子として指摘されている．抗コリン薬の減量や中止でも生じうる（離脱性アカシジア）．精神症状の悪化との鑑別が重要
CQ3-4 遅発性ジスキネジア	頸部・顔面・口周囲の多様な不随意運動（口すぼめ，舌の動き，口唇の動き）や上下肢の不規則な動き	投与開始後3か月以降，服薬期間に応じて頻度が上がる．65歳前後で多い	薬剤投与のない精神疾患患者でも15%に口唇ジスキネジアを認めるという報告もある
CQ3-5 遅発性ジストニア	持続的，不随意的な筋緊張による異常肢位・姿勢．意思に基づく姿勢保持や円滑な動作ができなくなる	遅発性ジスキネジアと同様だが頻度は低い．45歳前後で多い	眼球偏位や四肢の異常肢位が特徴．日常生活への支障が大きい

る一因にもなってきた．副作用は種々の精神症状（不安，焦燥，激越，抑うつ，緊張病症状，転換症状など）と鑑別する必要がある．錐体外路系副作用の特徴，予防，治療に関する事項を［表1］[1-3]に示す．

参考文献

1) 厚生労働省：重篤副作用疾患別対応マニュアル　薬剤性パーキンソニズム（平成18年11月，令和4年2月改定）
https://www.mhlw.go.jp/topics/2006/11/dl/tp1122-1c45.pdf
2) 厚生労働省：重篤副作用疾患別対応マニュアル　ジスキネジア（平成21年5月，令和4年2月改定）
https://www.mhlw.go.jp/topics/2006/11/dl/tp1122-1c53.pdf
3) 厚生労働省：重篤副作用疾患別対応マニュアル　アカシジア（平成22年3月，令和3年4月改定）
https://www.mhlw.go.jp/topics/2006/11/dl/tp1122-1j09-r03.pdf

抗精神病薬による急性ジストニアに推奨される治療法および予防法は何か？

準推奨

急性ジストニアが発現した際は，原則として原因薬剤を減量し，重篤な場合は一旦中止し，他の抗精神病薬を投与する．原因薬剤が精神症状に効果がある場合は，その減量・中止の是非について慎重に検討する．

抗精神病薬を変更する場合は，まずは第二世代抗精神病薬（second generation antipsychotics：SGAs）などの急性ジストニアのリスクが低い抗精神病薬への変更が望ましい．次に，抗コリン薬（ビペリデン，トリヘキシフェニジル）もしくは抗ヒスタミン薬（プロメタジン）の経口投与または筋注について抗コリン性副作用を勘案した上で考慮する．

急性ジストニアの予防法としては第一世代抗精神病薬（first generation antipsychotics：FGAs）よりも SGAs を選択する方が望ましい．

解説

急性ジストニアは，若年男性に多く，通常抗精神病薬投与後 3 日以内に生じる不随意的で継続的な筋収縮による異常姿勢や筋硬直である．眼球上転や頸部・躯幹の捻転が好発部位であるが，疼痛を伴うこともあり，稀ではあるが喉頭ジストニアなどは命に関わる場合もある[1, 2]．約 80％ は午後から夜にかけて起きる．服薬拒否の要因になることもある．

本 CQ に該当する系統的レビューや無作為化比較試験（randomized controlled trial：RCT）を検索したものの，全体としての十分なエビデンスは得られなかったため，観察研究を含めたハンドサーチにて検索したエビデンスを含めて，準推奨文および解説を作成した．抗精神病薬の副作用が発現した際の一般原則として，他の薬剤性副作用の場合と同様に，原因薬剤を減量し重篤な場合は一旦中止し，他の抗精神病薬を投与することや，原因薬剤が精神症状に効果がある場合は，その減量・中止の是非について慎重に検討することは，自明であるため，質のよい研究はほとんどなされていない．良質な研究がないからといって，自明であることを否定する根拠にはならないため，急性ジストニアについてもこの一般原則を最初に記載し，その次に一般原則で対応が困難な場合に検討する治療法について述べた．

急性ジストニアが発現した際の抗精神病薬の変更では，発生リスクの低い薬剤が望ましいと考えられる．予防の部分で詳述するように，FGAs よりも SGAs の方がリスクが低いことが知られており，SGAs を選択する方が望ましい．一方で，個々の薬剤に関するリス

クの比較研究からは十分なエビデンスが得られていないため，本ガイドラインでは日本の臨床研究における頻度情報を示すこととした[3]．定量的な順位付けは困難であり，臨床上の参考にするための目安として理解されたい．多くの臨床試験では，急性ジストニアと遅発性ジストニア併せて報告されているが，SGAs 投与下でのジストニアの発生頻度は約 0.3～6% で，ハロペリドールの約 12% より低かった．次に，急性ジストニアの治療として抗コリン薬（ビペリデン，トリヘキシフェニジル）もしくは抗ヒスタミン薬（プロメタジン）の経口投与または筋注が臨床的に用いられており，主要ガイドラインにおいてもその使用が提示されている[4-7]．

急性ジストニアの予防としての抗精神病薬の選択については，ハロペリドールとの比較において，アリピプラゾール（リスク比 6.63，95% 信頼区間 1.52～28.86，$p=0.012$）とオランザピン（リスク比 12.92，95% 信頼区間 1.67～99.78，$p=0.014$）はそれぞれ有意に急性ジストニアの発症が少ないことがメタ解析で示されている[8]．また，クエチアピンは FGAs と比較して有意に急性ジストニアの発症が少ないことがメタ解析で示されている（リスク比 0.19，95% 信頼区間 0.06～0.64，$p=0.0072$）[9]．観察研究において，1,975 例を対象とした米国における 1997～2006 年までの後方視的コホートでは，SGAs 単剤治療群は FGAs 単剤治療群と比較して発症率が有意に低かった（オッズ比 0.12，95% 信頼区間 0.08～0.19）[10]．また，精神科救急ユニットに入院した 1,337 例を対象とした前向きコホート研究では，各薬剤の急性ジストニアの発症率を調査しているが，SGAs は全体としてみると FGAs と比較して有意に発症率が低いという結果であった（$p=0.000$）[11]．したがって，予防としての抗精神病薬の選択においては，FGAs よりも SGAs が望ましい．

海外の主要ガイドラインにおいては，すべての患者に対する予防投与は推奨しておらず，各症例が有する急性ジストニアの危険因子（ジストニアの既往歴，FGAs の使用，若年男性など）に応じて使用を決定することに留めている[5,6,12,13]．予防のための抗コリン薬の有効性についての研究も存在するものの[14,15]，抗コリン薬を併用する場合は，どうしても必要な場合に限り治療開始数週間までの一時使用が望ましいと記載されている[16]．

参考文献

1) Singh H, Levinson DF, Simpson GM, et al：Acute dystonia during fixed-dose neuroleptic treatment. J Clin Psychopharmacol 10：389-396, 1990
2) Raja M：Managing antipsychotic-induced acute and tardive dystonia. Drug Saf 19：57-72, 1998
3) 稲垣 中，佐藤英樹，稲田 健，他：わが国で実施された臨床試験と使用成績調査の結果から見た抗精神病薬による統合失調症薬物治療の安全性．臨床精神薬理 24：1153-1169, 2021
4) 日本神経学会（監），「ジストニア診療ガイドライン」作成委員会（編）：ジストニア診療ガイドライン 2018．南江堂，東京，2018
5) International College of Neuropsychopharmacology（CINP）：Schizophrenia Guidelines
https://cinp.org/Guidelines/
6) Hasan A, Falkai P, Wobrock T, et al：World Federation of Societies of Biological Psychiatry（WFSBP）Guidelines for Biological Treatment of Schizophrenia, part 2：update 2012 on the long-term treatment of schizophrenia and management of antipsychotic-induced side effects. World J Biol Psychiatry 14：2-44, 2013
https://www.wfsbp.org/educational-activities/wfsbp-treatment-guidelines-and-consensus-papers/

7) Taylor D, Barnes TRE, Young AH：The Maudsley Prescribing Guidelines in Psychiatry, 13th edition. Wiley Blackwell, Hoboken, 2018
   https://dl.uswr.ac.ir/bitstream/Hannan/32636/1/9781119442608.pdf
8) Ostinelli EG, Brooke-Powney MJ, Li X, et al：Haloperidol for psychosis-induced aggression or agitation（rapid tranquillisation）. Cochrane Database Syst Rev（7）：CD009377, 2017
9) Suttajit S, Srisurapanont M, Xia J, et al：Quetiapine versus typical antipsychotic medications for schizophrenia. Cochrane Database Syst Rev（5）：CD007815, 2013
10) Ciranni MA, Kearney TE, Olson KR：Comparing acute toxicity of first- and second-generation antipsychotic drugs：a 10-year, retrospective cohort study. J Clin Psychiatry 70：122-129, 2009
11) Raja M, Azzoni A：Novel antipsychotics and acute dystonic reactions. Int J Neuropsychopharmacol 4：393-397, 2001
12) Barnes TRE, Schizophrenia Consensus Group of British Association for Psychopharmacology：Evidence-based guidelines for the pharmacological treatment of schizophrenia：recommendations from the British Association for Psychopharmacology. J Psychopharmacol 25：567-620, 2011
13) Kreyenbuhl J, Buchanan RW, Dickerson FB, et al：The schizophrenia patient outcomes research team（PORT）：updated treatment recommendations 2009. Schizophr Bull 36：94-103, 2010
14) Huf G, Alexander J, Gandhi P, et al：Haloperidol plus promethazine for psychosis-induced aggression. Cochrane Database Syst Rev（11）：CD005146, 2016
15) Arana GW, Goff DC, Baldessarini RJ, et al：Efficacy of anticholinergic prophylaxis for neuroleptic-induced acute dystonia. Am J Psychiatry 145：993-996, 1988
16) WHO：Prophylactic use of anticholinergics in patients on long-term neuroleptic treatment. A consensus statement. World Health Organization heads of centres collaborating in WHO co-ordinated studies on biological aspects of mental illness. Br J Psychiatry 156：412, 1990

CQ 3-3 抗精神病薬によるアカシジアに推奨される治療法および予防法は何か？

準推奨

　アカシジアが発現した際は，原則として原因薬剤を減量し，重篤な場合は一旦中止して他の抗精神病薬を投与する．強い不安焦燥感を伴い，希死念慮，自殺企図，他害の危険性が予想されるような緊急性の高い場合は，薬物療法だけでなく，精神療法，環境調整など，積極的な介入を行う．原因薬剤が精神症状に効果がある場合は，その減量・中止の是非について慎重に検討する．抗精神病薬の減量が無効または適切でない場合には，第二世代抗精神病薬（second generation antipsychotics：SGAs）に切り替え，可能な限り低用量とすることが望ましい．

　アカシジアの予防法としては第一世代抗精神病薬（first generation antipsychotics：FGAs）よりも SGAs を選択する方が望ましい．

解説

　アカシジアは，「下肢のそわそわした動き」「足踏み」「じっと座っていられない」などの身体の落ち着きのなさが特徴的な副作用であり，軽度の場合は，患者本人が制御することも可能である．一方で，強い不安焦燥感を伴い，希死念慮，自殺企図，他害の誘因となることも注意が必要である．このような緊急性の高い場合は，薬物療法，精神療法，入院を含めた環境調整を考慮するなど，積極的な介入を行うことが望ましい．本 CQ では，アカシジアに対する治療法および予防法について検討した．

　本 CQ に該当する系統的レビューや無作為化比較試験（randomized controlled trial：RCT）を検索したものの，全体としての十分なエビデンスは得られなかったため，観察研究を含めたハンドサーチにて検索したエビデンスを含めて，準推奨文および解説を作成した．抗精神病薬の副作用が発現した際の一般原則として，他の薬剤性副作用の場合と同様に，原因薬剤を減量し重篤な場合は一旦中止し，他の抗精神病薬を投与することや，原因薬剤が精神症状に効果がある場合は，その減量・中止の是非について慎重に検討することは，自明であるため，質のよい研究はほとんどなされていない．良質な研究がないからといって，自明であることを否定する根拠にはならないため，アカシジアについてもこの一般原則を最初に記載し，その次に一般原則で対応が困難な場合に検討する治療法について述べた．

　すなわち，アカシジアが発現した際は，原則として原因薬剤を減量し重篤な場合は一旦

中止し，他の抗精神病薬を投与する．原因薬剤が精神症状に効果がありアカシジアが軽度の場合は，代表的なレビューや諸外国のガイドラインにおいて用量に依存して生じやすくなることが知られているため[1,2]，患者側と十分に話し合った上で，まずは内服している抗精神病薬の減量を行うことを検討すべきである[2,3]．抗精神病薬の減量が無効または適切でない場合には，SGAsに切り替え，可能な限り低用量とすることが望ましい．諸外国のガイドラインを概観すると，アカシジアの発現リスクはSGAsで低いとしているためである[2-4]．抗精神病薬のアカシジア発現のリスクについて，最新のネットワークメタ解析によると[5]，プラセボに比べた相対リスクが中等度のものは，すべてFGAsであった．本邦で上市されているSGAsのうち，相対リスクが低いものはリスペリドン，アセナピン，アリピプラゾール，ブレクスピプラゾール，非常に低いものはクロザピン，オランザピン，クエチアピン，パリペリドンであった．一方，慢性期の統合失調症を対象とした大規模な二重盲検RCTであるCATIE（the Clinical Antipsychotic Trials of Intervention Effectiveness）試験では，アカシジアの発現リスクについて，FGAsのペルフェナジンとSGAsのリスペリドン，オランザピン，クエチアピンの間に有意な差は認められなかった[6]．

　そして，他の治療介入についての研究は存在するもののエビデンスの質は非常に低く，前述の対応が困難もしくは無効な場合に初めて考えることになる．本邦では以前から行われてきたアカシジアに対する抗コリン薬の追加投与であるが，2006年のCochrane Database Systematic Reviewの系統的レビューでは，その有効性を実証する試験はないとしており[7]，推奨されない．その他，ベンゾジアゼピン受容体作動薬[8,9]，β遮断薬[10]，5-HT_{2A}受容体拮抗作用を持つ薬剤（ミルタザピン，ミアンセリン，トラゾドン）[11]の併用療法に関しては系統的レビューやRCTが存在し，一部のガイドラインで考慮する場合がある治療として記載されているものの[2-4]，その試験は小規模で不正確であること，さまざまなバイアスリスクが不明であり，エビデンスの質は低く，これらの薬剤による直接的な副作用や抗精神病薬との相互作用によって生じうる副作用も考慮すると推奨しないが，抗精神病薬の変更や減量が無効あるいは難しい場合に，患者の希望によっては考慮してもよい選択肢の1つと考えられる．

　アカシジアの予防としての抗精神病薬の選択については，発生リスクの低い薬剤が望ましいと考えられる．上記のように，FGAsよりもSGAsの方がリスクが低いことが知られており，SGAsを選択する方が望ましい．一方で，個々の薬剤に関するリスクの比較研究からは十分なエビデンスが得られていないため，本ガイドラインでは日本の臨床研究における頻度情報を示すこととした[12]．定量的な順位付けは困難であり，臨床上の参考にするための目安として理解されたい．アカシジア発生頻度はFGAsのハロペリドールの約40%と比較してSGAsが低く約4～25%であり，中でもペロスピロンとブロナンセリンが約25%と比較的高いことが示された．以上より，アカシジアの予防にはSGAsを使用するのが望ましいと考えられる．

参考文献

1) Sachdev P：The epidemiology of drug-induced akathisia：part I. Acute akathisia. Schizophr Bull 21：431-449, 1995
2) Hasan A, Falkai P, Wobrock T, et al：World Federation of Societies of Biological Psychiatry（WFSBP）Guidelines for Biological Treatment of Schizophrenia, part 2：update 2012 on the long-term treatment of schizophrenia and management of antipsychotic-induced side effects. World J Biol Psychiatry 14：2-44, 2013
   https://www.wfsbp.org/educational-activities/wfsbp-treatment-guidelines-and-consensus-papers/
3) Taylor D, Barnes TRE, Young AH：The Maudsley Prescribing Guidelines in Psychiatry 13th Edition. Wiley Blackwell, Hoboken, 2018
   https://dl.uswr.ac.ir/bitstream/Hannan/32636/1/9781119442608.pdf
4) International College of Neuropsychopharmacology（CINP）：Schizophrenia Guidelines
   https://cinp.org/Guidelines/
5) Huhn M, Nikolakopoulou A, Schneider-Thoma J, et al：Comparative efficacy and tolerability of 32 oral antipsychotics for the acute treatment of adults with multi-episode schizophrenia：a systematic review and network meta-analysis. Lancet 394：939-951, 2019
6) Miller DD, Caroff SN, Davis SM, et al：Extrapyramidal side-effects of antipsychotics in a randomised trial. Br J Psychiatry 193：279-288, 2008
7) Rathbone J, Soares-Weiser K：Anticholinergics for neuroleptic-induced acute akathisia. Cochrane Database Syst Rev（4）：CD003727, 2006
8) Lima AR, Soares-Weiser K, Bacaltchuk J, et al：Benzodiazepines for neuroleptic-induced acute akathisia. Cochrane Database Syst Rev（1）：CD001950, 2002
9) Horiguchi J, Nishimatsu O：Usefulness of antiparkinsonian drugs during neuroleptic treatment and the effect of clonazepam on akathisia and parkinsonism occurred after antiparkinsonian drug withdrawal：a double-blind study. Jpn J Psychiatry Neurol 46：733-739, 1992
10) Lima AR, Bacalcthuk J, Barnes TRE, et al：Central action beta-blockers versus placebo for neuroleptic-induced acute akathisia. Cochrane Database Syst Rev（4）：CD001946, 2004
11) Laoutidis ZG, Luckhaus C：5-HT$_{2A}$ receptor antagonists for the treatment of neuroleptic-induced akathisia：a systematic review and meta-analysis. Int J Neuropsychopharmacol 17：823-832, 2014
12) 稲垣　中, 佐藤英樹, 稲田　健, 他：わが国で実施された臨床試験と使用成績調査の結果から見た抗精神病薬による統合失調症薬物治療の安全性. 臨床精神薬理 24：1153-1169, 2021

CQ 3-3 補記: ペアワイズメタ解析とネットワークメタ解析

　近年，メタ解析の手法として，2群間の介入効果などを直接比較するペアワイズメタ解析（pairwise meta-analysis）と呼ばれる従来の統合手法に加え，3群以上の介入効果などを直接比較するだけでなく，シミュレーションによる間接的な比較や順位づけを可能にするネットワークメタ解析（network meta-analysis）という手法が発展してきた[1]．

　ペアワイズメタ解析は，例えば複数の抗精神病薬の精神症状に対する介入効果を，「抗精神病薬の介入効果」という一括りに統合し，プラセボを投与した群の結果（対照）と比較する．一方，ネットワークメタ解析は，複数の抗精神病薬（A，B，C）の精神症状に対する介入効果について，Aとプラセボとの直接比較，Bとプラセボとの直接比較，AとCとの直接比較がある場合，統計的にシミュレーションを行い，直接比較をしていないCとプラセボとの比較結果やBとCの比較結果などを間接的に求めることができる．

　ネットワークメタ解析の結果の解釈は，個々の研究の質，異質性の高さ，出版バイアスなど従来のペアワイズメタ解析で求められるエビデンスの確実性の評価に加えて，直接比較と間接比較の結果の不一致や，間接比較への依存度などネットワークメタ解析に求められるエビデンスの確実性の評価が妥当であるかを確認する必要がある．

　ネットワークメタ解析は，効果の大きさに順位をつけ，それぞれの治療法が最善，すなわち1位になる確率を統計学的手法で算出することができるが，この順位については不確実性を伴うことを留意すべきである．ある治療が1位，2位，……，n位になる順位を推定する統計手法として，Surface Under the Cumulative Ranking（SUCRA）の統計値が使われることがあるが，SUCRAのランキングが高いからといって安易にその治療法が1位であると解釈するのは危険である．その理由として，「SUCRAを計算するにあたり，順位間の効果の大きさは考慮されていないこと（シミュレーションで1位にランキングされても，2位との差はわずかであったり，大きく離れていたりとさまざまである），治療法による効果の違いは偶然誤差による可能性があるがSUCRAはその可能性を考慮していないこと」が挙げられている[2]．このように，ネットワークメタ解析で得られるエビデンスは，統計的な違いを有意かどうかという形で評価したものではなく，エビデンスの確実性の評価は複雑であり，評価方法はまだ十分に確立されてはいない．

　よって，本ガイドラインにおいては，メタ解析を評価する場合には，抗精神病薬全体もしくは，第一世代もしくは第二世代の抗精神病薬全体とプラセボとの比較はペアワイズメタ解析を採用して検討を行った．また，補足的に抗精神病薬間の違いを検討するネットワークメタ解析を限定して用いて解説に記載した．

参考文献

1) Minds診療ガイドライン作成マニュアル編集委員会：Minds診療ガイドライン作成マニュアル2020 ver. 3.0. 日本医療機能評価機構 EBM医療情報部, 東京, 2021
2) Mbuagbaw L, Rochwerg B, Jaeschke R, et al：Approaches to interpreting and choosing the best treatments in network meta-analyses. Syst Rev 6：79, 2017

CQ 3-4 抗精神病薬による遅発性ジスキネジアに推奨される治療法および予防法は何か？

準推奨

遅発性ジスキネジアが発現した際は，原則として原因薬剤を減量し，重篤な場合は一旦中止し，他の抗精神病薬を投与する．原因薬剤が精神症状に効果がある場合は，その減量・中止の是非について慎重に検討する．抗精神病薬を変更する場合は，第二世代抗精神病薬（second generation antipsychotics：SGAs）への変更を考慮する．

遅発性ジスキネジアの予防法としては第一世代抗精神病薬（first generation antipsychotics：FGAs）よりもSGAsを選択する方が望ましい．

解説

遅発性ジスキネジアは，多くは，抗精神病薬服用後，数か月してから生じる頸部・顔面・口周囲の多様な不随意運動（口すぼめ，舌の動き，口唇の動き）や，上下肢の不規則な動きなどを指す．一度発症すると不可逆的な場合があり，治療方法も確立されていない．本CQでは，遅発性ジスキネジアに対する治療法と予防法を検討した．

本CQに該当する系統的レビューや無作為化比較試験（randomized controlled trial：RCT）を検索したものの，全体としての十分なエビデンスは得られなかったため，観察研究を含めたハンドサーチにて検索したエビデンスを含めて，準推奨文および解説を作成した．抗精神病薬の副作用が発現した際の一般原則として，他の薬剤性副作用の場合と同様に，原因薬剤を減量し重篤な場合は一旦中止し，他の抗精神病薬を投与することや，原因薬剤が精神症状に効果がある場合は，その減量・中止の是非について慎重に検討することは，自明であるため，質のよい研究はほとんどなされていない．良質な研究がないからといって，自明であることを否定する根拠にはならないため，一度発症すると不可逆的な場合がある遅発性ジスキネジアについてもこの一般原則を最初に記載し，その次に一般原則で対応が困難な場合に検討する治療法について述べた．

遅発性ジスキネジアに対する抗精神病薬の減量，中止，変更について良質な研究報告はないが[1,2]，諸外国のガイドラインやレビューでは，抗精神病薬の減量やSGAsへの変更を選択肢として挙げている[3-8]．そして，他の治療介入についての研究は存在するもののエビデンスの質は非常に低く，前述の対応が困難もしくは無効な場合に初めて考えることになる．抗コリン薬[9]，GABA作動薬[10]，ビタミンE[11]，カルシウム拮抗薬[12]，コリン作動薬[13]，ベンゾジアゼピン受容体作動薬[14]の遅発性ジスキネジアに対する有効性を検証

した系統的レビューがいずれも2018年にCochrane Database Systematic Reviewにて発表されているが，いずれも有効性に乏しく推奨されない．そしてビタミンB_6[15]およびイチョウ葉エキス[6,16]についての併用療法に関しては系統的レビューが存在するが，その試験は小規模で不正確であること，さまざまなバイアスリスクが不明であり，エビデンスの質は低く推奨とはしないが，抗精神病薬の変更や減量が無効あるいは難しい場合に，患者の希望によっては考慮してもよい選択肢の1つと考えられる．

遅発性ジスキネジアの予防としての抗精神病薬の選択については，発生リスクの低い薬剤が望ましいと考えられる．Carbonら[17]は，2000～2015年に報告された41報，計11,493例の遅発性ジスキネジア患者に関するメタ解析を行った．結果として，軽度以上の遅発性ジスキネジア有病率は，SGAs治療群（20.7%，95%信頼区間：16.6～25.4%）でFGAs治療群（30.0%，95%信頼区間：26.4～33.8%）より有意に低かった（$p=0.002$）．SGAs群のうち，過去にFGAs曝露のない群は特に低い（7.2%，95%信頼区間：3.4～14.5%）という結果であった．またCarbonらは別のメタ解析で1年間の遅発性ジスキネジア発生率を算出しており，FGAsが6.5%（95%信頼区間：5.3～7.8%）だったのに対し，SGAsが2.6%（95%信頼区間：2.0～3.1%）であった[18]．このように，FGAsよりもSGAsのリスクが低いことが知られており，遅発性ジスキネジアの予防にはFGAsよりもSGAsを選択するのが望ましいと考えられ，諸外国のガイドラインもこれを支持している[4,7,8]．一方で，個々の薬剤に関するリスクの比較研究からは十分なエビデンスが得られていないため，本ガイドラインでは日本の臨床研究における頻度情報を示すこととした[19]．定量的な順位づけは困難であり，臨床上の参考にするための目安として理解されたい．SGAsの遅発性ジスキネジアの発生頻度は0.6～5.4%であり，ハロペリドールの7.6%より低かった．以上より，予防法としてはFGAsよりもSGAsを選択する方が望ましい．

参考文献

1) Bergman H, Rathbone J, Agarwal V, et al：Antipsychotic reduction and/or cessation and antipsychotics as specific treatments for tardive dyskinesia. Cochrane Database Syst Rev（2）：CD000459, 2018
2) Cortese L, Caligiuri MP, Williams R, et al：Reduction in neuroleptic-induced movement disorders after a switch to quetiapine in patients with schizophrenia. J Clin Psychopharmacol 28：69-73, 2008
3) American Psychiatric Association（APA）：Practice Guideline for the Treatment of Patients With Schizophrenia, Second Edition. Am J Psychiatry 161（2 Suppl）：1-56, 2004
4) Taylor D, Barnes TRE, Young AH：The Maudsley Prescribing Guidelines in Psychiatry, 13th edition. Wiley Blackwell, Hoboken, 2018
   https://dl.uswr.ac.ir/bitstream/Hannan/32636/1/9781119442608.pdf
5) Bhidayasiri R, Fahn S, Weiner WJ, et al：Evidence-based guideline：treatment of tardive syndromes：report of the Guideline Development Subcommittee of the American Academy of Neurology. Neurology 81：463-469, 2013
6) Bhidayasiri R, Jitkritsadakul O, Friedman JH, et al：Updating the recommendations for treatment of tardive syndromes：a systematic review of new evidence and practical treatment algorithm. J Neurol Sci 389：67-75, 2018
7) Hasan A, Falkai P, Wobrock T, et al：World Federation of Societies of Biological Psychiatry（WFSBP）Guidelines for Biological Treatment of Schizophrenia, part 2：update 2012 on the long-term treatment of schizophrenia and management of antipsychotic-induced side effects, 2013
   https://www.wfsbp.org/educational-activities/wfsbp-treatment-guidelines-and-consensus-papers/

8) International College of Neuropsychopharmacology（CINP）：Schizophrenia Guidelines https://cinp.org/Guidelines/
9) Bergman H, Soares-Weiser K：Anticholinergic medication for antipsychotic-induced tardive dyskinesia. Cochrane Database Syst Rev（1）：CD000204, 2018
10) Alabed S, Latifeh Y, Mohammad HA, et al：Gamma-aminobutyric acid agonists for antipsychotic-induced tardive dyskinesia. Cochrane Database Syst Rev（4）：CD000203, 2018
11) Soares-Weiser K, Maayan N, Bergman H, et al：Vitamin E for antipsychotic-induced tardive dyskinesia. Cochrane Database Syst Rev（1）：CD000209, 2018
12) Essali A, Soares-Weiser K, Bergman H, et al：Calcium channel blockers for antipsychotic-induced tardive dyskinesia. Cochrane Database Syst Rev（3）：CD000206, 2018
13) Tammenmaa-Aho I, Asher R, Soares-Weiser K, et al：Cholinergic medication for antipsychotic-induced tardive dyskinesia. Cochrane Database Syst Rev（3）：CD000207, 2018
14) Bergman H, Bhoopathi PS, Soares-Weiser K, et al：Benzodiazepines for antipsychotic-induced tardive dyskinesia. Cochrane Database Syst Rev（1）：CD000205, 2018
15) Adelufosi AO, Abayomi O, Ojo TMF, et al：Pyridoxal 5 phosphate for neuroleptic-induced tardive dyskinesia. Cochrane Database Syst Rev（4）：CD010501, 2015
16) Soares-Weiser K, Rathbone J, Ogawa Y, et al：Miscellaneous treatments for antipsychotic-induced tardive dyskinesia. Cochrane Database Syst Rev（3）：CD000208, 2018
17) Carbon M, Hsieh CH, Kane JM, et al：Tardive dyskinesia prevalence in the period of second-generation antipsychotic use：a meta-analysis. J Clin Psychiatry 78：e264-e278, 2017
18) Carbon M, Kane JM, Leucht S, et al：Tardive dyskinesia risk with first- and second-generation antipsychotics in comparative randomized controlled trials：a meta-analysis. World Psychiatry 17：330-340, 2018
19) 稲垣 中, 佐藤英樹, 稲田 健, 他：わが国で実施された臨床試験と使用成績調査の結果から見た抗精神病薬による統合失調症薬物治療の安全性. 臨床精神薬理 24：1153-1169, 2021

CQ 3-5 抗精神病薬による遅発性ジストニアに推奨される治療法および予防法は何か？

準推奨

遅発性ジストニアが発現した際は，原則として原因薬剤を減量し，重篤な場合は一旦中止し，他の抗精神病薬を投与する．原因薬剤が精神症状に効果がある場合は，その減量・中止の是非について慎重に検討する．遅発性ジストニアの治療法は確立されていないが，治療抵抗性統合失調症の場合はクロザピンへの変更を考慮する．また局所性ジストニアの場合はボツリヌス毒素が有効な治療法となる可能性がある．予防法については，現段階ではエビデンスがほとんどないため，特定の薬剤の回答はなしとする．

解説

　抗精神病薬服用後数か月してから発症する，持続的，不随意的な筋緊張による，姿勢や動作の異常を指す．姿勢保持や意思に基づく円滑な動作ができなくなり，歩行を含めた日常生活動作に非常に困難をきたすことがある．

　本CQに該当する系統的レビューや無作為化比較試験（randomized controlled trial：RCT）を検索したものの，全体としての十分なエビデンスは得られなかったため，観察研究を含めたハンドサーチにて検索したエビデンスを含めて，準推奨文および解説を作成した．抗精神病薬の副作用が発現した際の一般原則として，他の薬剤性副作用の場合と同様に，原因薬剤を減量し重篤な場合は一旦中止し，他の抗精神病薬を投与することや，原因薬剤が精神症状に効果がある場合は，その減量・中止の是非について慎重に検討することは，自明であるため，質のよい研究はほとんどなされていない．良質な研究がないからといって，自明であることを否定する根拠にはならないため，一度発症すると不可逆的な場合がある遅発性ジストニアについてもこの一般原則を最初に記載し，その次に一般原則で対応が困難な場合に検討する治療法について述べた．遅発性ジストニアの治療法および予防法について，抗精神病薬の減量，抗精神病薬の用量維持，抗精神病薬の変更，抗精神病薬の継続について検討したが，明確なデータがなかった．また，ナラティブレビューをする上で参考にした海外の主要ガイドラインに加え，米国神経学会（American Academy of Neurology：AAN）の遅発性症候群ガイドラインも参照したが，推奨すべき治療法および予防法は提示されていなかった[1,2]．

　本邦のジストニア診療ガイドラインおよび複数のレビュー論文において，クロザピンへの変更が示されているが，小規模なオープンラベル試験や症例報告で効果が認められてい

るのみである[3-6].治療抵抗性統合失調症の場合は,クロザピンで生じやすい副作用を勘案して導入を検討することが望ましい.また同様に,局所性ジストニアの場合に限りボツリヌス毒素が有効とされているが,抗精神病薬誘発性ジストニアにおける報告は極めて乏しいのが現状である[3,6-8].そのほか,本邦では適応外のテトラベナジン[3,6-8],ベンゾジアゼピン受容体作動薬[3,7,8],バクロフェン[3,7,8],アマンタジン[5,7]などが提案されているが,エビデンスが不十分であり推奨されない.

遅発性ジストニアの予防効果について,抗精神病薬の選択,抗コリン薬併用,抗ヒスタミン薬併用のいずれを含む知見も得られなかった.FGAsを全く投与されたことがなく,1年以上SGAsを服用している老年期以外の80例の統合失調症患者について,横断的,後方視的に遅発性ジストニアの頻度を調査したところ,78例中11例(14.1%)であった[9].一方,FGAs投与による遅発性ジストニアの頻度について,日本人を対象とした報告[10]では716例中15例(2.1%),オランダ人を対象とした研究[11]では入院患者194例(64.7%はFGAsの持効性注射剤投与)中26例(13.4%)に遅発性ジストニアを認めた.試験デザインの違いにより直接比較はできないが,これらの知見を踏まえると,現在のところ,SGAsによる遅発性ジストニアの予防効果については明快な答えがないと考えられ,特定の薬剤の回答はなしとする.

参考文献

1) Bhidayasiri R, Fahn S, Weiner WJ, et al:Evidence-based guideline:treatment of tardive syndromes:report of the Guideline Development Subcommittee of the American Academy of Neurology. Neurology 81:463-469, 2013
2) Bhidayasiri R, Jitkritsadakul O, Friedman JH, et al:Updating the recommendations for treatment of tardive syndromes:a systematic review of new evidence and practical treatment algorithm. J Neurol Sci 389:67-75, 2018
3) 日本神経学会(監),「ジストニア診療ガイドライン」作成委員会(編):ジストニア診療ガイドライン 2018. 南江堂,東京,2018
4) Raja M:Managing antipsychotic-induced acute and tardive dystonia. Drug Saf 19:57-72, 1998
5) Zádori D, Veres G, Szalárdy L, et al:Drug-induced movement disorders. Expert Opin Drug Saf 14:877-890, 2015
6) Duma SR, Fung VS:Drug-induced movement disorders. Aust Prescr 42:56-61, 2019
7) D'Souza RS, Hooten WM:Extrapyramidal symptoms. StatPearls[Internet].:StatPearls Publishing, Treasure Island(FL), 2019-. 2019 Jan 9
8) Mehta SH, Morgan JC, Sethi KD:Drug-induced movement disorders. Neurol Clin 33:153-174, 2015
9) Ryu S, Yoo JH, Kim JH, et al:Tardive dyskinesia and tardive dystonia with second-generation antipsychotics in non-elderly schizophrenic patients unexposed to first-generation antipsychotics:a cross-sectional and retrospective study. J Clin Psychopharmacol 35:13-21, 2015
10) Inada T, Yagi G, Kaijima K, et al:Clinical variants of tardive dyskinesia in Japan. Jpn J Psychiatry Neurol 45:67-71, 1991
11) van Harten PN, Matroos GE, Hoek HW, et al:The prevalence of tardive dystonia, tardive dyskinesia, parkinsonism and akathisia The Curaçao Extrapyramidal Syndromes Study:I. Schizophr Res 19:195-203, 1996

第4章
抗精神病薬のその他の副作用

CQ 4-1 悪性症候群に推奨される治療法および予防法は何か？

準推奨

悪性症候群が疑われた場合は抗精神病薬を中止し，集中的な身体的治療・管理（補液，必要に応じて人工換気，体温，脈拍，血圧のモニタリングなど）を行うとともに，その他の身体疾患などを慎重に除外し，診断を確定することが望ましい．

悪性症候群に対するダントロレン治療は，肝機能障害のリスクがあるが，死亡率を低下させ，悪性症候群の改善が認められるため行うことが望ましい．

悪性症候群に対するブロモクリプチン治療は，精神症状の悪化のリスクがあるが，死亡率を低下させ，悪性症候群の改善が認められるため行うことが望ましい．

悪性症候群に対する電気けいれん療法（electroconvulsive therapy：ECT）は死亡率の低下は認められないものの，精神症状を改善させ，悪性症候群を改善させる可能性があるため行うことが望ましい．

悪性症候群の予防のために，抗精神病薬の高用量投与，多剤併用，急な増量や減量，高力価の第一世代抗精神病薬（first generation antipsychotics：FGAs）の使用，抗コリン薬の突然の中止をしないことが望ましい．

解説

悪性症候群は発熱，下痢，筋強剛，錯乱，意識障害，血圧変動，頻脈などのさまざまな自律神経障害，クレアチンキナーゼなどの上昇，横紋筋融解症，急性腎不全，白血球数増加，肝機能検査値異常などの症状を呈する，生命の危険を伴う（特に高齢者では致死的となる可能性が高い）重篤な副作用[1-8]である．発生率は0.01〜3%[1,9-11]であり，悪性症候群の危険因子に，精神病症状，器質的な脳疾患（神経疾患），アルコール使用障害，パーキンソン病，甲状腺機能亢進症，精神運動激越，精神遅滞，男性であること，若年，激越，脱水，身体拘束，抗精神病薬の急速投与もしくは非経口投与などがある[7,8,12-21]．本邦の臨床試験や使用成績調査のデータからは，概ね0.5%未満と報告されている[22]．悪性症候群は稀で不均質な疾患であること，生命の危険を伴う事象であることなどから，本CQに該当する系統的レビューや無作為化比較試験（randomized controlled trial：RCT）を検索したものの，全体としての十分なエビデンスは得られなかったため[23]，観察研究を含めたハンドサーチにて検索したエビデンスを含めて，準推奨文および解説を作成した．

抗精神病薬の中止と継続を比較した研究は認められなかったが，多くの研究において，また専門医による日常診療においても，まずは抗精神病薬を中止しており，また中止しな

かった場合に死亡につながる可能性があることから，抗精神病薬を中止することが望ましい．悪性症候群が疑われた場合は抗精神病薬を中止し，集中的な身体的治療・管理（補液，必要に応じて人工換気，体温，脈拍，血圧のモニタリングなど）を行うとともに，その他の身体疾患などを慎重に除外し，診断を確定していくことが望ましい[1-5,7]．また，抗精神病薬による治療が中断されるため精神症状悪化に注意する必要があり，抗精神病薬と抗コリン薬を併用している場合，抗コリン薬の減量中止は悪性症候群を悪化させる可能性が指摘されているため[21,24]注意を要する．

悪性症候群に対するダントロレン治療に関しては，身体的治療のみの群と比較したケースシリーズ〔n（患者数）=734〕による解析[25]では，身体的治療のみの群の死亡率は21%だったのに対して，ダントロレン使用群は9〜10%と有意に低かった．また，本邦におけるオープンラベル試験[26]（n=27）では，ダントロレン使用により77.8%で悪性症候群の改善効果が認められた．精神症状の変化についての報告はなかった．一方で，ダントロレンによる有害な副作用として肝機能障害が報告されている[27]．心血管系虚脱を発生する可能性が指摘[23]されていることから，カルシウム拮抗薬との併用は避ける．以上より，悪性症候群に対するダントロレン治療は，肝機能障害のリスクがあるが，死亡率を低下させ，悪性症候群の改善が認められるため行うことが望ましい[1-3,7]．

悪性症候群に対するブロモクリプチン治療に関しては，身体的治療のみの群と比較したケースシリーズ（n=734）による解析[25]では，身体的治療のみの群の死亡率は21%であったのに対して，ブロモクリプチン使用群（単独群・併用群）は8〜10%と有意に死亡率が低かった．また，悪性症候群95症例に対してブロモクリプチン併用治療を実施したことにより，88%（83症例）が悪性症候群の症状が軽減し，ブロモクリプチン単剤で治療を実施した54症例のうち94%（51症例）が臨床的な改善を認めた[25]．一方で，ブロモクリプチンによる有害な副作用としては，精神症状の悪化が報告されている[28,29]．以上より，悪性症候群に対するブロモクリプチン治療は精神症状の悪化のリスクがあるが，死亡率を低下させ，悪性症候群の改善が認められるため行うことが望ましい．

悪性症候群に対するECTに関しては，ケースシリーズ（n=734）[30]において，特異的な治療を受けなかった群の死亡率が21%であったのに対してECT治療群（n=29）の死亡率は10.3%と低下する傾向はあったものの，統計学的な有意差は認められなかった．また，別のケースシリーズ（n=45）においては，約90%の症例に対してECTにより悪性症候群と精神症状の改善が認められたが，心循環器系の副作用と高カリウム血症が発生した[31]．以上より，悪性症候群に対するECTは死亡率の低下は認められないものの，精神症状を改善させ，悪性症候群を改善させる可能性があるため行うことが望ましい．

その他の治療として，アマンタジン[25]，ベンゾジアゼピン受容体作動薬[32,33]，L-ドパ[34]，アポモルヒネ[35]，カルバマゼピン[36]などの報告がある[7]ものの，いずれも症例数は乏しく，一定の結論にいたるほどのエビデンスは得られていない．

続いて悪性症候群の予防に関する知見を述べる．悪性症候群（n=67），コントロール（n=254）のケースコントロール研究[16]では，抗精神病薬の総用量よりは抗精神病薬の種類

と変更における用量が悪性症候群と直接関連しており，悪性症候群の予防のために，抗精神病薬の高用量投与，多剤併用，急な増量や減量，高力価のFGAsの使用，抗コリン薬の突然の中止をしないことが望ましい[3, 7, 16]．また，悪性症候群から改善した後に抗精神病薬を再開したケースシリーズ研究（n＝44）では少なくとも5日間の休薬期間を推奨[3, 7, 37]している．極少量から開始し，身体的，生化学的なパラメーターを綿密にモニタリングすることが望ましい[3, 7]．また，抗精神病薬を再開する場合には，悪性症候群の原因となった抗精神病薬と構造的に異なる薬剤，もしくはドパミン受容体への親和性の低い薬剤（クエチアピン，クロザピン）の使用を検討し，持効性注射薬と高力価のFGAsの使用は避けることが望ましい[3, 7, 16, 37-39]．

参考文献

1) 日本神経精神薬理学会（編）：統合失調症薬物治療ガイドライン．医学書院，東京，2016
   https://www.jsnp-org.jp/csrinfo/03.html
2) International College of Neuropsychopharmacology（CINP）：Schizophrenia Guidelines
   https://cinp.org/Guidelines/
3) Hasan A, Falkai P, Wobrock T, et al：World Federation of Societies of Biological Psychiatry（WFSBP）Guidelines for Biological Treatment of Schizophrenia, part 2：update 2012 on the long-term treatment of schizophrenia and management of antipsychotic-induced side effects. World J Biol Psychiatry 14：2-44, 2013
   https://www.wfsbp.org/educational-activities/wfsbp-treatment-guidelines-and-consensus-papers/
4) Kreyenbuhl J, Buchanan RW, Dickerson FB：The schizophrenia patient outcomes research team（PORT）：updated treatment recommendations 2009. Schizophr Bull 36：94-103, 2010
5) American Psychiatric Association（APA）：Practice Guideline for the Treatment of Patients with Schizophrenia, Second Edition. Am J Psychiatry 161（2 Suppl）：1-56, 2004
6) Barnes TR, Schizophrenia Consensus Group of British Association for Psychopharmacology：Evidence-based guidelines for the pharmacological treatment of schizophrenia：recommendations from the British Association for Psychopharmacology. J Psychopharmacol 25：567-620, 2011
7) Taylor D, Barnes TRE, Young AH：The Maudsley Prescribing Guidelines in Psychiatry, 13th edition. Wiley Blackwell, Hoboken, 2018
   https://dl.uswr.ac.ir/bitstream/Hannan/32636/1/9781119442608.pdf
8) Levenson JL：Neuroleptic malignant syndrome. Am J Psychiatry 142：1137-1145, 1985
9) Stübner S, Rustenbeck E, Grohmann R, et al：Severe and uncommon involuntary movement disorders due to psychotropic drugs. Pharmacopsychiatry 37（Suppl 1）：S54-S64, 2004
10) Hermesh H, Aizenberg D, Weizman A, et al：Risk for definite neuroleptic malignant syndrome. A prospective study in 223 consecutive in-patients. Br J Psychiatry 161：254-257, 1992
11) Caroff SN：Neuroleptic malignant syndrome. In Mann SC, Caroff SN, Keck PE Jr, et al（eds）：Neuroleptic Malignant Syndrome and Related Conditions, 2nd edition. pp1-44, American Psychiatric Publishing, Washington DC, 2003
12) Keck PE Jr, Pope HG Jr, Cohen BM, et al：Risk factors for neuroleptic malignant syndrome. A case-control study. Arch Gen Psychiatry 46：914-918, 1989
13) Rosebush PI, Mazurek MF：Serum iron and neuroleptic malignant syndrome. Lancet 338：149-151, 1991
14) Lee JW：Serum iron in catatonia and neuroleptic malignant syndrome. Biol Psychiatry 44：499-507, 1998
15) Gurrera RJ：A systematic review of sex and age factors in neuroleptic malignant syndrome diagnosis frequency. Acta Psychiatr Scand 135：398-408, 2017
16) Su YP, Chang CK, Hayes RD, et al：Retrospective chart review on exposure to psychotropic medications associated with neuroleptic malignant syndrome. Acta Psychiatr Scand 130：52-60, 2014
17) Nielsen RE, Wallenstein Jensen SO, Nielsen J：Neuroleptic malignant syndrome-an 11-year longitudinal case-control study. Can J Psychiatry 57：512-518, 2012

18) Hermesh H, Manor I, Shiloh R, et al：High serum creatinine kinase level：possible risk factor for neuroleptic malignant syndrome. J Clin Psychopharmacol 22：252-256, 2002
19) Viejo LF, Morales V, Puñal P, et al：Risk factors in neuroleptic malignant syndrome. A case-control study. Acta Psychiatr Scand 107：45-49, 2003
20) Spivak B, Weizman A, Wolovick L, et al：Neuroleptic malignant syndrome during abrupt reduction of neuroleptic treatment. Acta Psychiatr Scand 81：168-169, 1990
21) Spivak B, Gonen N, Mester R, et al：Neuroleptic malignant syndrome associated with abrupt withdrawal of anticholinergic agents. Int Clin Psychopharmacol 11：207-209, 1996
22) 稲垣　中, 佐藤英樹, 稲田　健, 他：わが国で実施された臨床試験と使用成績調査の結果から見た抗精神病薬による統合失調症薬物治療の安全性. 臨床精神薬理 24：1153-1169, 2021
23) Strawn JR, Keck PE Jr, Caroff SN：Neuroleptic malignant syndrome. Am J Psychiatry 164：870-876, 2007
24) Davis JM, Caroff SN, Mann SC：Treatment of neuroleptic malignant syndrome. Psychiatr Ann 30：325-331, 2000
25) Sakkas P, Davis JM, Hua J, et al：Pharmacotherapy of neuroleptic malignant syndrome. Psychiatr Ann 21：157-164, 1991
26) 山脇成人, 盛生倫夫, 風祭　元, 他：ダントロレンナトリウムの悪性症候群に対する有用性および投与方法に関する検討. 基礎と臨床 27：1045-1066, 1993
27) Utili R, Boitnott JK, Zimmerman HJ：Dantrolene-associated hepatic injury. Incidence and character. Gastroenterology 72：610-616, 1977
28) Meltzer HY, Kolakowska T, Robertson A, et al：Effect of low-dose bromocriptine in treatment of psychosis：the dopamine autoreceptor-stimulation strategy. Psychopharmacology（Berl）81：37-41, 1983
29) Brambilla F, Scarone S, Pugnetti L, et al：Bromocriptine therapy in chronic schizophrenia：effects on symptomatology, sleep patterns, and prolactin response to stimulation. Psychiatry Res 8：159-169, 1983
30) Davis JM, Janicak PG, Sakkas P, et al：Electroconvulsive therapy in the treatment of the neuroleptic malignant syndrome. Convuls Ther 7：111-120, 1991
31) Trollor JN, Sachdev PS：Electroconvulsive treatment of neuroleptic malignant syndrome：a review and report of cases. Aust N Z J Psychiatry 33：650-659, 1999
32) Tural U, Onder E：Clinical and pharmacologic risk factors for neuroleptic malignant syndrome and their association with death. Psychiatry Clin Neurosci 64：79-87, 2010
33) Francis A, Chandragiri S, Rizvi S, et al：Is lorazepam a treatment for neuroleptic malignant syndrome？ CNS Spectr 5：54-57, 2000
34) Shoop SA, Cernek PK：Carbidopa/levodopa in the treatment of neuroleptic malignant syndrome. Ann Pharmacother 31：119, 1997
35) Lattanzi L, Mungai F, Romano A, et al：Subcutaneous apomorphine for neuroleptic malignant syndrome. Am J Psychiatry 163：1450-1451, 2006
36) Terao T：Carbamazepine in the treatment of neuroleptic malignant syndrome. Biol Psychiatry 45：381-382, 1999
37) Wells AJ, Sommi RW, Crismon ML：Neuroleptic rechallenge after neuroleptic malignant syndrome：case report and literature review. Drug Intell Clin Pharm 22：475-480, 1988
38) Olmsted TR：Neuroleptic malignant syndrome：guidelines for treatment and reinstitution of neuroleptics. South Med J 81：888-891, 1988
39) Belvederi Murri M, Guaglianone A, Bugliani M, et al：Second-generation antipsychotics and neuroleptic malignant syndrome：systematic review and case report analysis. Drugs R D 15：45-62, 2015

補記： 悪性症候群（NMS）

　悪性症候群（neuroleptic malignant syndrome：NMS）は，すべての抗精神病薬で起こりうる重篤な副作用の1つである．発熱，筋強剛，さまざまな自律神経障害，血清クレアチンキナーゼ（CK）の上昇といった臨床症状や検査所見などが出現し，転帰として生命の危険を伴う．Popeら[1,2]によるNMSの診断基準を［表1］に示した．この病態は，決して抗精神病薬だけでなく，時に抗うつ薬，抗パーキンソン薬の中断などによって引き起こされる可能性があることに留意する必要がある．

　NMSと鑑別を要する疾患を［表2］に列挙する[3]．NMS以外の疾患でも治療の遅れが生命の危険に直結する可能性が高いため，確実に鑑別していく必要がある．特に近年，自己免疫性辺縁系脳炎に罹患した患者が，幻覚・妄想などの精神症状や昏迷状態により精神科を最初に受診するケースの報告が増え，その鑑別の重要性が強調されている．

表1　Popeらの悪性症候群（NMS）診断基準

以下のうち3項目を満たせば確定診断
1. 発熱（他の原因がなく，37.5℃以上）
2. 錐体外路症状（下記症状のうち2つ以上） 　①鉛管様筋強剛　　　⑦咬痙 　②歯車現象　　　　　⑧嚥下障害 　③流涎　　　　　　　⑨舞踏病様運動 　④眼球上転　　　　　⑩ジスキネジア 　⑤後屈性斜頸　　　　⑪加速歩行 　⑥反弓緊張　　　　　⑫屈曲伸展姿勢
3. 自律神経機能不全（下記症状のうち2つ以上） 　①血圧上昇（通常より拡張期血圧が20 mmHg以上上昇） 　②頻脈（通常より脈拍が30回/分以上増加） 　③頻呼吸（25回/分以上） 　④発汗過多 　⑤尿失禁
上記3項目がそろわない場合，上記のうち2項目と以下のうち1項目以上が存在すればNMSの可能性が強い（probable NMS）
1. 意識障害
2. 白血球増加
3. 血清CKの上昇

〔Pope HG Jr, Keck PE Jr, McElroy SL: Frequency and presentation of neuroleptic malignant syndrome in a large psychiatric hospital. Am J Psychiatry 143：1227-1233, 1986 より改変して転載．日本語訳は厚生労働省：重篤副作用疾患別対応マニュアル　悪性症候群（平成20年4月）による〕

表 2　悪性症候群と鑑別を要する主な疾患

- 原発性中枢神経疾患（intravascular lymphomatosis など）
- 感染症（脳炎，髄膜炎，破傷風）
- 脳血管障害
- 腫瘍
- 外傷
- てんかん
- セロトニン症候群
- 水中毒
- 精神疾患（致死性緊張病）
- 内分泌疾患（甲状腺クリーゼ，褐色細胞腫）
- 中毒（一酸化炭素中毒，フェノール中毒など）
- 熱中症
- アルコール離脱症候群

(Pope HG Jr, Keck PE Jr, McElroy SL: Frequency and presentation of neuroleptic malignant syndrome in a large psychiatric hospital. Am J Psychiatry 143：1227-1233, 1986 より改変して転載)

参考文献

1) Pope HG Jr, Keck PE Jr, McElroy SL：Frequency and presentation of neuroleptic malignant syndrome in a large psychiatric hospital. Am J Psychiatry 143：1227-1233, 1986
2) 厚生労働省：重篤副作用疾患別対応マニュアル　悪性症候群（平成 20 年 4 月）
   http://www.mhlw.go.jp/topics/2006/11/dl/tp1122-1j01.pdf
3) 篠崎隆央，石川高明，岡田正樹，他：悪性症候群・横紋筋融解症．Modern Physician 32：1277-1280, 2012

CQ 4-2
抗精神病薬による体重増加に推奨される治療法および予防法は何か？

> **準推奨**
>
> 抗精神病薬による体重増加への治療法として，体重測定，食事変更，栄養教育，運動などを含めた生活習慣への介入を行うことが望ましい．抗精神病薬の減量は体重減少にはつながらず，行わないことが望ましい．体重増加のリスクが低い抗精神病薬への変更は精神症状の悪化に注意しつつ益と害を勘案した上で考慮する．
>
> 抗精神病薬による体重増加への予防法については，どの抗精神病薬を用いるにしても投与開始前後の定期的な体重測定を行うことが望ましい．

解説

体重増加は，抗精神病薬，特に第二世代抗精神病薬（second generation antipsychotics：SGAs）でしばしば経験する副作用の1つであり[1-4]，代謝性障害や心血管疾患などの危険因子となり，生命予後の悪化につながる可能性がある．肥満者数は世界的に増加しており，特に若年や先進国では肥満者数の増加が著しい[5]．このような肥満者数の増加を背景に，抗精神病薬による体重増加の影響はさまざまな代謝性疾患の危険因子となっている．また，肥満による容姿への嫌悪感から抗精神病薬の服薬アドヒアランスが低下し，結果として精神症状の悪化につながる可能性がある．したがって，精神症状の改善のみならず生命予後や生活の質（quality of life：QOL）の観点からも回避もしくは改善していくべき副作用である[6]．病態生理としては，抗精神病薬のヒスタミン H_1 受容体親和性やセロトニン $5-HT_{2C}$ 受容体親和性との関連が指摘されている[7,8]．さらに，食事摂取制限不足や運動不足といった統合失調症患者に特徴的なライフスタイルも体重増加に影響する可能性が報告されている[9]．本CQに該当する系統的レビューや無作為化比較試験（randomized controlled trial：RCT）を検索したものの，全体としての十分なエビデンスは得られなかったため，観察研究を含めたハンドサーチにて検索したエビデンスを含めて，準推奨文および解説を作成した．

重度精神障害を有する18歳以上の肥満患者〔体格指数（body mass index：BMI）$\geq 25 \text{ kg/m}^2$，アジア人ではBMI$\geq 23 \text{ kg/m}^2$〕を対象に生活への介入（行動への介入，自己測定，食事変更，栄養教育，運動）の体重増加への有効性を調べた17本のRCTのメタ解析によると，生活への介入は通常治療に比べて6か月後および12か月後において，わずかではあるが有意な体重減少効果が認められた[10]．しかし，本メタ解析は掲げたアウトカムのうち体重増加の改

善のみしか扱っておらず，非一貫性や非直接性などエビデンスに影響する因子が顕著であるため，推奨とはしなかった．『モーズレイ処方ガイドライン 第13版』でも，主に食事の改善と身体活動の増加を目的とした行動的生活習慣プログラムを推奨しており[11]，抗精神病薬による体重増加に対する生活習慣への介入は望ましいとした．

CQ 2-2（→46頁）において，安定した統合失調症患者では，抗精神病薬の減量は抗精神病薬の用量維持に比べ，体重の減少について有意差がなく減量することを推奨していないため，本CQでもそれを採用とした．統合失調症ないしは統合失調症圏の患者を対象に，抗精神病薬による体重増加および代謝系有害事象への介入として抗精神病薬の変薬と同一薬継続の有効性を比較したRCTに関する系統的レビューが存在する[12]．変薬による効果は認められなかったが，変薬した患者群では試験からの離脱率が高いというバイアスがあり，結果の解釈は困難である．しかし，諸外国のガイドラインでは体重増加がみられた場合に，体重増加のリスクが低い抗精神病薬への変更が勧められている[11, 13, 14]．抗精神病薬の副作用が発現した際の一般原則として，他の薬剤性副作用の場合と同様に，原因薬剤を減量し重篤な場合は一旦中止し，他の抗精神病薬を投与することや，原因薬剤が精神症状に効果がある場合は，その減量・中止の是非について慎重に検討することは，自明であるため，精神症状の悪化に注意しつつ益と害を勘案した上で考慮されたい．

統合失調症を対象に抗精神病薬起因性の代謝系有害事象を主要評価項目としたプラセボ対照二重盲検RCTのメタ解析を含む系統的レビューが報告されている[15]．メトホルミンとアリピプラゾールについてはプラセボを上回る有効性が認められたが，前者は本邦では2型糖尿病のみが保険適用であり，後者は抗精神病薬の併用となりCQ 1-3（→37頁）では行わないことを弱く推奨している上に長期的な有害事象が不明であるため，ともに推奨とはしなかった．同様に，オランザピンやクロザピンによる体重増加に対しリラグルチドが改善作用を示したとするRCTが報告されている〔n（患者数）＝103〕が[16]，本邦ではリラグルチドは2型糖尿病のみに保険適用であるため，準推奨への記載はなしとした．

抗精神病薬による体重増加の予防法について，どの抗精神病薬を用いるにしても，体重増加の予防のために投与開始前後の定期的な体重測定を行うのが望ましく，海外のガイドラインにおいても定期的な体重測定が予防に有効であることが記載されている[11, 17, 18]．特に児童思春期においては成人よりも測定間隔を短くし，身長も同時に測定することを勧めており参考にされたい[18]．Pillingerらは18種類の抗精神病薬による体重，BMIなどに関するRCTのネットワークメタ解析〔N（研究数）＝100，n＝25,952〕から，クロザピンとオランザピンの治療時には，体重増加や他の代謝系副作用に留意するよう結論づけている[19]．諸外国のガイドラインでも，クロザピンとオランザピンが体重増加によるリスクが高いとされている[11, 13]．日本の臨床研究における頻度情報によると[20]，第一世代抗精神病薬（first generation antipsychotics：FGAs）であるハロペリドールでは体重増加の報告はないが体重減少が報告されており（7%），SGAsでは体重増加の頻度が高く，クロザピン，オランザピン，パリペリドンが15%程度，その他のSGAsでは，2～7%程度であった．

以上のことから，抗精神病薬を用いた薬物治療を行う際，体重増加を予防する必要があ

る場合には薬剤ごとの体重増加や他の代謝系副作用のリスクを患者や家族などに情報提供することが望ましく，使用する薬剤を共同意思決定することがアドヒアランス向上につながると考えられる．

最後に，『統合失調症に合併する肥満・糖尿病の予防ガイド』では，体重増加のみならず，糖尿病の予防や治療についても詳しいため参照されたい[21]．

参考文献

1) Jeon SW, Kim YK：Unresolved issues for utilization of atypical antipsychotics in schizophrenia：antipsychotic polypharmacy and metabolic syndrome. Int J Mol Sci 18：2174, 2017
2) Guenette MD, Chintoh A, Remington G, et al：Atypical antipsychotic-induced metabolic disturbances in the elderly. Drugs Aging 31：159-184, 2014
3) Volpato AM, Zugno AI, Quevedo J：Recent evidence and potential mechanisms underlying weight gain and insulin resistance due to atypical antipsychotics. Braz J Psychiatry 35：295-304, 2013
4) Roerig JL, Steffen KJ, Mitchell JE：Atypical antipsychotic-induced weight gain：insights into mechanisms of action. CNS Drugs 25：1035-1059, 2011
5) Afshin A, Forouzanfar MH, Reitsma MB, et al：Health effects of overweight and obesity in 195 countries over 25 years. N Engl J Med 377：13-27, 2017
6) Wirshing DA：Schizophrenia and obesity：impact of antipsychotic medications. J Clin Psychiatry 65（Suppl 18）：13-26, 2004
7) Koponen H, Saari K, Savolainen M, et al：Weight gain and glucose and lipid metabolism disturbances during antipsychotic medication：a review. Eur Arch Psychiatry Clin Neurosci 252：294-298, 2002
8) Tecott LH, Sun LM, Akana SF, et al：Eating disorder and epilepsy in mice lacking 5-HT$_{2C}$ serotonin receptors. Nature 374：542-546, 1995
9) Brown S, Birtwistle J, Roe L, et al：The unhealthy lifestyle of people with schizophrenia. Psychol Med 29：697-701, 1999
10) Naslund JA, Whiteman KL, McHugo GJ, et al：Lifestyle interventions for weight loss among overweight and obese adults with serious mental illness：a systematic review and meta-analysis. Gen Hosp Psychiatry 47：83-102, 2017
11) Taylor D, Barnes TRE, Young AH：The Maudsley Prescribing Guidelines in Psychiatry, 13th edition. Wiley Blackwell, Hoboken, 2018
https://dl.uswr.ac.ir/bitstream/Hannan/32636/1/9781119442608.pdf
12) Mukundan A, Faulkner G, Cohn T, et al：Antipsychotic switching for people with schizophrenia who have neuroleptic-induced weight or metabolic problems. Cochrane Database Syst Rev（12）：CD006629, 2010
13) Hasan A, Falkai P, Wobrock T, et al：World Federation of Societies of Biological Psychiatry（WFSBP）Guidelines for Biological Treatment of Schizophrenia, part 2：update 2012 on the long-term treatment of schizophrenia and management of antipsychotic-induced side effects. World J Biol Psychiatry 14：2-44, 2013
https://www.wfsbp.org/educational-activities/wfsbp-treatment-guidelines-and-consensus-papers/
14) International College of Neuropsychopharmacology（CINP）：Schizophrenia Guidelines
https://cinp.org/Guidelines/
15) Mizuno Y, Suzuki T, Nakagawa A, et al：Pharmacological strategies to counteract antipsychotic-induced weight gain and metabolic adverse effects in schizophrenia：a systematic review and meta-analysis. Schizophr Bull 40：1385-1403, 2014
16) Larsen JR, Vedtofte L, Jakobsen MSL, et al：Effect of liraglutide treatment on prediabetes and overweight or obesity in clozapine- or olanzapine-treated patients with schizophrenia spectrum disorder：a randomized clinical trial. JAMA Psychiatry 74：719-728, 2017
17) Dixon L, Perkins D, Calmes C：Guideline Watch（September 2009）：Practice Guideline For the Treatment of Patients with Schizophrenia. 2009
18) Psychosis and schizophrenia in children and young people：recognition and management. Clinical Guideline155, NICE, 2016
19) Pillinger T, McCutcheon RA, Vano L, et al：Comparative effects of 18 antipsychotics on metabolic func-

tion in patients with schizophrenia, predictors of metabolic dysregulation, and association with psychopathology: a systematic review and network meta-analysis. Lancet Psychiatry 7: 64-77, 2020
20) 稲垣　中，佐藤英樹，稲田　健，他：わが国で実施された臨床試験と使用成績調査の結果から見た抗精神病薬による統合失調症薬物治療の安全性．臨床精神薬理 24：1153-1169, 2021
21) 日本精神神経学会・日本糖尿病学会・日本肥満学会：統合失調症に合併する肥満・糖尿病の予防ガイド．2020 年 5 月
https://www.jspn.or.jp/uploads/uploads/files/activity/Prevention_Guide_for_Obesity_and_Diabetes_in_Pationts_with_Schizophrenia.pdf

CQ 4-2 補記： 糖尿病の診断

　糖尿病の診断は慢性高血糖を確認し，さらに症状，臨床所見，家族歴，体重歴などを参考として総合的に判断する．診断のフローチャートを［図1］[1)]に示す．糖尿病の診断が確定した場合は速やかに内科医にコンサルできることを伝える．以下，『統合失調症に合併する肥満・糖尿病の予防ガイド』[2)]から引用する．

1 問診・診察

- 高血糖による症状（口渇，多飲，多尿，体重減少，易疲労感など）や合併症を疑う症状（視力低下，下肢のしびれなど）の有無と経過．糖尿病の治療歴（治療中断の有無など）

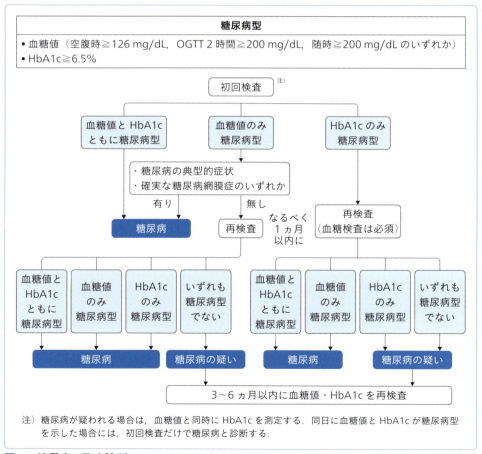

図1 糖尿病の臨床診断のフローチャート
〔日本糖尿病学会糖尿病診断基準に関する調査検討委員会：糖尿病の分類と診断基準に関する委員会報告（国際標準化対応版）．糖尿病 55：494，2012 より一部改変して転載．改変は日本糖尿病学会（編・著）：糖尿病治療ガイド 2020-2021．文光堂，2020，p26 による〕

- 肥満，高血圧，脂質異常症の有無
- 糖尿病の家族歴の有無
- 食生活，身体活動度などの生活習慣
- 妊娠糖尿病，巨大児出産の有無

2 検査

- 早朝空腹時血糖値 126 mg/dL 以上，75 g 経口ブドウ糖負荷試験（oral glucose tolerance test：OGTT）2 時間値 200 mg/dL 以上，随時血糖値 200 mg/dL 以上，HbA1c（NGSP）6.5%〔HbA1c（JDS）6.1%〕以上のいずれかであれば糖尿病型と判定する．
- 血糖値が糖尿病型でかつ HbA1c も糖尿病型であれば，糖尿病と診断できる．
- 血糖値が糖尿病型でかつ糖尿病の典型的症状があるか，確実な糖尿病網膜症が確認された場合も，糖尿病と診断する．
- 血糖値は糖尿病型であるが，HbA1c（NGSP）が 6.5%〔HbA1c（JDS）が 6.1%〕未満で上記の症状や確実な糖尿病網膜症がない場合は，もう一度別の日に検査を行い，血糖値または HbA1c で糖尿病型が再度確認できれば糖尿病と診断する．
- HbA1c だけが糖尿病型である場合は，別の日に血糖値の再検査を行い，血糖値が糖尿病型であることを確認したうえで糖尿病と診断する．
- HbA1c（NGSP）が 6.5%〔HbA1c（JDS）が 6.1%〕以上が 2 回みられても，血糖値の基準を満たしていなければ，糖尿病とは診断できない．
- 糖尿病型の場合は，再検査で糖尿病と診断が確定しない場合でも，生活指導を行いながら経過を観察する．
- 境界型（空腹時血糖値 110～125 mg/dL または OGTT 2 時間値 140～199 mg/dL）は糖尿病予備群であり，運動・食生活指導など定期的な管理が望ましい．

参考文献

1) 日本糖尿病学会糖尿病診断基準に関する調査検討委員会：糖尿病の分類と診断基準に関する委員会報告（国際標準化対応版）．糖尿病 55：494, 2012. 改変は日本糖尿病学会（編・著）：糖尿病治療ガイド 2020-2021．文光堂，東京，2020
2) 日本精神神経学会，日本糖尿病学会，日本肥満学会（監），「統合失調症に合併する肥満・糖尿病の予防ガイド」作成委員会（編）：統合失調症に合併する肥満・糖尿病の予防ガイド．新興医学出版社，東京，2020

CQ 4-3 抗精神病薬による便秘に推奨される治療法および予防法は何か？

準推奨

　抗精神病薬服用中に慢性便秘がみられた場合，まずは大腸癌やクローン病などの身体疾患，他の向精神薬や他の薬剤の併用などの原因を検討し，抗精神病薬による慢性便秘であることを同定する必要がある．慢性便秘症を起こしやすい薬剤として，抗コリン作用を持つ薬剤（抗うつ薬，抗精神病薬，抗パーキンソン薬，ベンゾジアゼピン受容体作動薬，第一世代の抗ヒスタミン薬など）が挙げられているため，抗精神病薬に併用しないことが望ましい．

　抗精神病薬による便秘である場合，原因薬剤が精神症状に効果があり，イレウスに至るなど重篤化しておらず，患者の忍容性に問題がないならば，抗精神病薬を継続する．ラクツロース，ポリエチレングリコール製剤，ピコスルファートナトリウムの追加投与は便秘を改善させる可能性があるが，新たな副作用に注意すべきである．適切な運動，栄養補助食品の使用，十分な水分摂取は便秘の改善には望ましい．

　便秘を予防するために，問診はもちろんのこと，聴診，触診，打診といった身体的診察により早期に便秘傾向を発見することが望ましい．慢性便秘を起こしやすい上記の薬剤は抗精神病薬に併用しないことが望ましい．抗精神病薬の選択としては，便秘を発症する可能性の低い薬剤を用いることを考慮する．

解説

　一般人口における慢性便秘症の有病率は報告により差はあるが（2〜27%），2013年厚生労働省の国民生活調査によると，便秘の有訴者数は男性2.6%，女性4.9%とされており，一方，米国では全年齢を通して15%とされている[1-3]．統合失調症患者，あるいは抗精神病薬を含めた向精神薬を内服している患者について，便秘の有病率を調査した大規模な研究は今のところ存在しない．本CQに該当する系統的レビューや無作為化比較試験（randomized controlled trial：RCT）を検索したものの，全体としての十分なエビデンスは得られなかったため，観察研究を含めたハンドサーチにて検索したエビデンスを含めて，準推奨文および解説を作成した．

　抗精神病薬服用中に生じた慢性便秘に対して，大腸癌やクローン病などの他の身体疾患，他の向精神薬や他の薬剤の併用などの他の原因を検討し，鑑別診断を行う必要があり原因に従った治療を行う．本邦の『慢性便秘症診療ガイドライン2017』においては，「抗コリン作用を持つ薬剤（抗うつ薬，一部の抗精神病薬，抗パーキンソン薬，ベンゾジアゼピン受

容体作動薬，第一世代の抗ヒスタミン薬など）の消化管運動の緊張や蠕動運動，腸液分泌の抑制作用や，向精神薬（抗精神病薬，抗うつ薬）のもつ抗コリン作用といった薬理作用の影響により，慢性便秘症を生じる可能性が高くなる」と記載されている[1]．したがって，これらの薬剤を長期に服用している統合失調症患者においては，便秘の有病率は一般人口に比べ多く，重篤になりやすいことが予想されるため，抗精神病薬に併用しないことが望ましい．抗精神病薬をはじめとする向精神薬，副作用予防に用いられる抗パーキンソン薬による腸管運動機能の低下により恒常的に糞塊が停滞し，腸壁が押し広げられることによって物理的に伸展され続ける．すると腸管平滑筋の断裂が起こり筋層が薄くなり，筋層内のアウエルバッハ神経叢の変性が起こり，さらに蠕動機能が低下するという悪循環に陥る．これによって抗精神病薬の増量や抗パーキンソン薬の追加などによって，容易にイレウスとなる恐れがある．また，腸管のバリア機能，免疫機能の低下から敗血症を起こす恐れもある[4]．

　抗精神病薬の副作用が発現した際の一般原則として，他の薬剤性副作用の場合と同様に，原因薬剤を減量し重篤な場合は一旦中止し，他の抗精神病薬を投与することや，原因薬剤が精神症状に効果がある場合は，その減量・中止の是非について慎重に検討することは，自明であるため，質のよい研究はほとんどなされていない．一方で，原因薬剤が精神症状に効果があり，イレウスに至るなど重篤化していない場合や患者の忍容性に問題がない場合は，抗精神病薬を継続することを，世界生物学的精神医学会ガイドラインが言及している[5]．その際の治療的介入について，De Hertらによる緩下薬の使用頻度を電子媒体より記録した後方視的研究を基に[6]，ラクツロース，ポリエチレングリコール製剤，ピコスルファートナトリウムなどの緩下薬の追加投与を推奨し，非薬物的介入として適切な運動，栄養補助食品の使用，十分な水分摂取を促すことを推奨している[5]．

　予防についてのエビデンスも十分には存在しない．唯一世界生物学的精神医学会ガイドラインにおいては，極力便秘発症リスクの少ない抗精神病薬を用いること，聴診，触診，打診といった身体的診察により早期に発見することを推奨している[5]．一方で，個々の薬剤に関するリスクの比較研究からは十分なエビデンスが得られていないため，本ガイドラインでは日本の臨床研究における頻度情報を示すこととした[7]．便秘の発生頻度はクロザピンが約30％，ハロペリドール，オランザピン，リスペリドン，ブロナンセリン，パリペリドン，ペルフェナジン，クエチアピン，アリピプラゾールが約5～15％，アセナピン，ブレクスピプラゾール，ルラシドンが約3％であった．

　抗精神病薬による便秘症は，高頻度で重症である可能性があるにもかかわらず，他の副作用や一般的な慢性便秘症に比して国内外ともに明らかにエビデンスが不足していると考えられるため，今後の知見の集積が強く望まれる．

参考文献

1) 日本消化器病学会関連研究会 慢性便秘の診断・治療研究会（編）：慢性便秘症診療ガイドライン 2017. 南江堂, 東京, 2017
2) Higgins PD, Johanson JF：Epidemiology of constipation in North America：a systematic review. Am J Gastroenterol 99：750-759, 2004
3) Vazquez Roque M, Bouras EP：Epidemiology and management of chronic constipation in elderly patients. Clin Interv Aging 10：919-930, 2015
4) 長嶺敬彦：抗精神病薬の「身体副作用」がわかる. 医学書院, 東京, 2006
5) Hasan A, Falkai P, Wobrock T, et al：World Federation of Societies of Biological Psychiatry（WFSBP）guidelines for biological treatment of schizophrenia, part 2：update 2012 on the long-term treatment of schizophrenia and management of antipsychotic-induced side effects. World J Biol Psychiatry 14：2-44, 2013
6) De Hert M, Hudyana H, Dockx L, et al：Second-generation antipsychotics and constipation：a review of the literature. Eur Psychiatry 26：34-44, 2011
7) 稲垣 中, 佐藤英樹, 稲田 健, 他：わが国で実施された臨床試験と使用成績調査の結果から見た抗精神病薬による統合失調症薬物治療の安全性. 臨床精神薬理 24：1153-1169, 2021

抗精神病薬によるQT延長に推奨される治療法および予防法は何か？

準推奨

すべての抗精神病薬にQT延長リスクがあることを念頭に置き，定期的な検査によるモニタリングを実施することが望ましい．抗精神病薬服薬中に生じたQT延長に対して，不整脈や電解質異常などの身体疾患，向精神薬を含めたQT延長リスクのある薬剤の併用の有無や，抗精神病薬の剤数や用量などについて検討し，抗精神病薬によるQT延長であることを同定する必要がある．特にQTc 500 msec以上の場合には，循環器内科に速やかに相談して治療方針を決定する．抗精神病薬によるQT延長である場合，抗精神病薬の用量を減量する，あるいは，QT延長を起こしにくい薬物治療へ変更することが望ましい．

QT延長の予防法としては，抗精神病薬の静注，最大用量を超えた投与，多剤併用を可能な限り避けることが望ましい．

解説

QT延長症候群は，心電図にT波の形態異常を伴うQT延長を認め，torsade de pointesと呼ばれる特殊な心室頻拍，あるいは心室細動などの重症心室性不整脈を生じて，めまい，失神などの脳虚血症状や突然死をきたしうる[1]．心不全，心筋症，冠動脈疾患，高血圧，左室肥大などの基礎心疾患の合併によりQT延長が助長される[1]．中高齢者に多く，女性に多く，電解質異常（低カリウム血症，低マグネシウム血症など）による例がよく知られている[1]．そのほか，糖尿病，神経性食欲不振症，下垂体不全，甲状腺機能低下症などの代謝障害に伴うQT延長がある[1]．心電図のQT時間は，さまざまな要因で常に変動し，特に心拍数の多寡によって大きく変化するため，心拍数で補正した値（QTc）を用いて評価するのが一般的である．また，QT延長症候群は自覚症状がないため，最低1年に一度の定期的な心電図検査によるモニタリングを実施することが望ましい．

本CQに該当する系統的レビューや無作為化比較試験（randomized controlled trial：RCT）を検索したものの，全体としての十分なエビデンスは得られなかったため，観察研究を含めたハンドサーチにて検索したエビデンスを含めて，準推奨文および解説を作成した．抗精神病薬の副作用が発現した際の一般原則として，他の薬剤性副作用の場合と同様に，原因薬剤を減量し重篤な場合は一旦中止し，他の抗精神病薬を投与することや，原因薬剤が精神症状に効果がある場合は，その減量・中止の是非について慎重に検討することは，自明であるため，質のよい研究はほとんどなされていない．良質な研究がないからといっ

て，自明であることを否定する根拠にはならないため，抗精神病薬によるQT延長についてもこの一般原則を前述し，その次に一般原則で対応が困難な場合に検討する治療法について以下に述べた．

　まずQT延長の治療法に関して，上記に示した不整脈や電解質異常などの身体疾患，向精神薬を含めたQT延長リスクのある薬剤の併用の有無や，抗精神病薬の剤数や用量などについて検討し，抗精神病薬によるQT延長であることを同定する必要がある．抗精神病薬によりQT延長が生じた場合，抗精神病薬の用量を減量する，あるいは，QT延長を起こしにくい薬物治療へ変更する[2,3]．抗精神病薬の多剤併用治療時にQT延長は高頻度にみられるため，単剤化を試みる．一方，QTcが500 msec以上を認めた場合には，速やかに循環器専門医に相談する[1]．

　諸外国のガイドラインやネットワークメタ解析などの結果より，抗精神病薬のQT延長が起こりやすい治療として，抗精神病薬の静注，最大用量を超えた投与，多剤併用が挙げられた[4-6]．一方で，個々の薬剤に関するリスクの比較研究からは十分なエビデンスが得られていないため，本ガイドラインでは日本の臨床研究における頻度情報を示すこととした[7]．定量的な順位づけは困難であり，臨床上の参考にするための目安として理解されたい．すべての抗精神病薬においてQT延長のリスクがあるが，いずれも2%未満として報告されている．

　次にQT延長の予防法に関して，すべての抗精神病薬はQT延長を起こす可能性があるため，使用に際しては最初に記述した患者の背景因子に注意して，抗精神病薬の静注，最大用量を超えた投与，多剤併用を可能な限り避けることが望ましい[2,8,9]．

参考文献

1) 日本循環器学会，日本心臓病学会，日本心電学会：遺伝性不整脈の診療に関するガイドライン（2017年改訂版）（2018年3月23日発行，2022年2月7日更新）
https://www.j-circ.or.jp/cms/wp-content/uploads/2017/12/JCS2017_aonuma_h.pdf
2) International College of Neuropsychopharmacology（CINP）：Schizophrenia Guidelines
https://cinp.org/Guidelines/
3) Hasan A, Falkai P, Wobrock T, et al：World Federation of Societies of Biological Psychiatry（WFSBP）guidelines for biological treatment of schizophrenia, part 2：update 2012 on the long-term treatment of schizophrenia and management of antipsychotic-induced side effects. World J Biol Psychiatry 14：2-44, 2013
4) Taylor DM, Barnes TRE, Young AH：The Maudsley Prescribing Guidelines in Psychiatry, 13th edition. Wiley Blackwell, Hoboken, 2018
https://dl.uswr.ac.ir/bitstream/Hannan/32636/1/9781119442608.pdf
5) Huhn M, Nikolakopoulou A, Schneider-Thoma J, et al：Comparative efficacy and tolerability of 32 oral antipsychotics for the acute treatment of adults with multi-episode schizophrenia：a systematic review and network meta-analysis. Lancet 394：939-951, 2019
6) Barbui C, Bighelli I, Carrà G, et al：Antipsychotic dose mediates the association between polypharmacy and corrected QT interval. PLoS One 11：e0148212, 2016
7) 稲垣　中，佐藤英樹，稲田　健，他：わが国で実施された臨床試験と使用成績調査の結果から見た抗精神病薬による統合失調症薬物治療の安全性．臨床精神薬理 24：1153-1169, 2021
8) Lambiase PD, de Bono JP, Schilling RJ, et al：British Heart Rhythm Society Clinical Practice Guidelines on the management of patients developing QT prolongation on antipsychotic medication. Arrhythm Electrophysiol Rev 8：161-165, 2019

9) Barnes TR, Schizophrenia Consensus Group of British Association for Psychopharmacology：Evidence-based guidelines for the pharmacological treatment of schizophrenia：recommendations from the British Association for Psychopharmacology. J Psychopharmacol 25：567-620, 2011

CQ 4-5 抗精神病薬による性機能障害に推奨される治療法および予防法は何か？

準推奨

抗精神病薬服用中に生じた性機能障害については患者自ら訴えることが少ないため，医師から問診をして評価を行うことが望ましい．抗精神病薬服用中に生じた性機能障害に対して，身体疾患や他の薬剤そして統合失調症そのものの影響などを除外し，抗精神病薬による性機能障害であることを同定する必要がある．抗精神病薬による性機能障害が発現した際は，原則として原因薬剤を減量し，重篤な場合は一旦中止し，他の抗精神病薬を投与する．原因薬剤が精神症状に効果がある場合は，その減量・中止の是非について慎重に検討する．

抗精神病薬による性機能障害の予防法として，十分なエビデンスのあるものはない．

解説

性機能障害には，性欲減退や勃起やオーガズムの障害，月経障害や無月経，乳汁漏出症，乳房肥大などの狭義の性機能障害と，高プロラクチン血症，さらに広義には血中プロラクチン増加などの検査値の変化も含まれる．男性の方が女性よりも性機能障害は高頻度（49～59％と25～49％）で，男性では性欲減退，勃起不全，射精障害が多く，女性では無月経，性欲減退が多いとされる[1-3]．このように，性機能障害の頻度は高いにもかかわらず，抗精神病薬服用中に生じた性機能障害については患者からの訴えがあることが少ないため，医師から問診をして評価を行うことが望ましい．また，抗精神病薬服用中には高頻度で性機能障害が生じるが，身体疾患や他の薬剤そして統合失調症そのものの影響などを除外し，抗精神病薬による性機能障害であることを同定する必要がある．また，健常者においても性機能障害の頻度は男女共に約38％と高く[2]，抗精神病薬を服用する統合失調症患者に特有の問題ではないことも知っておく必要がある．

本CQに該当する系統的レビューや無作為化比較試験（randomized controlled trial：RCT）を検索したものの，全体としての十分なエビデンスは得られなかったため，観察研究を含めたハンドサーチにて検索したエビデンスを含めて，準推奨文および解説を作成した．抗精神病薬の副作用が発現した際の一般原則として，他の薬剤性副作用の場合と同様に，原因薬剤を減量し重篤な場合は一旦中止し，他の抗精神病薬を投与することや，原因薬剤が精神症状に効果がある場合は，その減量・中止の是非について慎重に検討することは，自明であるため，質のよい研究はほとんどなされていない．良質な研究がないからといって，自明であることを否定する根拠にはならないことは言うまでもないであろう．

第一世代抗精神病薬（first generation antipsychotics：FGAs）から第二世代抗精神病薬（second generation antipsychotics：SGAs）への切り替えの研究では，性機能障害，精神症状の悪化，錐体外路症状などの状態について一貫した結果は得られておらず[4,5]，SGAs から SGAs への切り替えの研究においても性機能障害と精神症状について有意な差がなかった[6,7]．このように抗精神病薬の変更については一貫した結果が得られなかった．抗精神病薬の減量による性機能障害や高プロラクチン血症の改善について，十分なエビデンスは得られなかった．各国のガイドラインにおいて減量についての明確な推奨はなく，減量による改善を考慮する際は，患者の状態，高プロラクチン血症や性機能障害の改善の益と精神症状悪化などの害のバランスなどから検討することが望ましい．

　併用療法についてはアリピプラゾール少量の併用の RCT[8-12]，芍薬甘草湯の併用の RCT[13]，シルデナフィルの併用の RCT[14] が報告されているがいずれも小規模の研究であり，性機能障害の改善と精神症状の改善について信頼するに足る一貫した結果が得られていないため，併用は推奨されない．アリピプラゾール少量の併用についてはプロラクチン値の低下が報告されているが，よりエビデンスレベルが高く推奨と位置づけられている CQ 1-3（→ 37 頁）において抗精神病薬の併用は推奨されていないため，推奨されない．芍薬甘草湯は主な副作用として低カリウム血症が 0.2% に生じ[15]，甘草は偽アルドステロン症が生じやすい[16]．

　予防法についての系統的レビュー，RCT はなく，十分なエビデンスは存在しない．海外のガイドラインでも予防についての明確な推奨はなく，世界生物学的精神医学会および欧州神経精神薬理学会のガイドラインにおいて，抗精神病薬による高プロラクチン血症の予防には，プロラクチン値の上昇が最小限，または上昇がない抗精神病薬を選択するようコメントされているのみである[17,18]．一方で，個々の薬剤に関するリスクの比較研究からは十分なエビデンスが得られていないため，本ガイドラインでは日本の臨床研究における頻度情報を示すこととした[19]．定量的な順位づけは困難であり，臨床上の参考にするための目安として理解されたい．ほとんどの抗精神病薬はそのドパミン受容体拮抗作用を介して血中プロラクチン濃度を増大させることが知られている．よって，全般的な傾向として，「血中プロラクチン増加」の頻度は高いが（80% 以下），その結果として引き起こされると考えられる「高プロラクチン血症」や「月経障害」はそれより少なく（7% 以下），「乳汁漏出症」と「無月経」についてはさらに少ない（3% 以下）．頻度の高い血中プロラクチン増加は，リスペリドンとその持効性注射薬，パリペリドンとその持効性薬で 25〜80% と高く，次にブロナンセリン，ハロペリドール，クロザピンが 15% 程度であり，その他の薬剤は数 % 以下であった．一方で，アリピプラゾール（約 40%）やクエチアピン（約 5%）では血中プロラクチン減少が報告されている．血中プロラクチン増加の頻度と性機能障害の頻度に大きな乖離があるため，血中プロラクチン値増加がないもしくは少ない薬剤の選択が必ずしも性機能障害の予防につながるわけではないことを理解した上で参考とすべきである．

参考文献

1) Bobes J, Garc A-Portilla MP, Rejas J, et al：Frequency of sexual dysfunction and other reproductive side-effects in patients with schizophrenia treated with risperidone, olanzapine, quetiapine, or haloperidol：the results of the EIRE study. J Sex Marital Ther 29：125-147, 2003
2) Fujii A, Yasui-Furukori N, Sugawara N, et al：Sexual dysfunction in Japanese patients with schizophrenia treated with antipsychotics. Prog Neuropsychopharmacol Biol Psychiatry 34：288-293, 2010
3) Khawaja MY：Sexual dysfunction in male patients taking antipsychotics. J Ayub Med Coll Abbottabad 17：73-75, 2005
4) Mahmoud A, Hayhurst KP, Drake RJ, et al：Second generation antipsychotics improve sexual dysfunction in schizophrenia：a randomised controlled trial. Schizophr Res Treatment 2011：596898, 2011
5) Covell NH, McEvoy JP, Schooler NR, et al：Effectiveness of switching from long-acting injectable fluphenazine or haloperidol decanoate to long-acting injectable risperidone microspheres：an open-label, randomized controlled trial. J Clin Psychiatry 73：669-675, 2012
6) Nakonezny PA, Byerly MJ, Rush AJ：The relationship between serum prolactin level and sexual functioning among male outpatients with schizophrenia or schizoaffective disorder：a randomized double-blind trial of risperidone vs. quetiapine. J Sex Marital Ther 33：203-216, 2007
7) Byerly MJ, Nakonezny PA, Rush AJ：Sexual functioning associated with quetiapine switch vs. risperidone continuation in outpatients with schizophrenia or schizoaffective disorder：a randomized double-blind pilot trial. Psychiatry Res 159：115-120, 2008
8) Raghuthaman G, Venkateswaran R, Krishnadas R：Adjunctive aripiprazole in risperidone-induced hyperprolactinaemia：double-blind, randomised, placebo-controlled trial. BJPsych Open 1：172-177, 2015
9) Chen JX, Su YA, Bian QT, et al：Adjunctive aripiprazole in the treatment of risperidone-induced hyperprolactinemia：a randomized, double-blind, placebo-controlled, dose-response study. Psychoneuroendocrinology 58：130-140, 2015
10) Zhao J, Song X, Ai X, et al：Adjunctive aripiprazole treatment for risperidone-induced hyperprolactinemia：an 8-week randomized, open-label, comparative clinical trial. PLoS One 10：e0139717, 2015
11) Qiao Y, Yang F, Li C, et al：Add-on effects of a low-dose aripiprazole in resolving hyperprolactinemia induced by risperidone or paliperidone. Psychiatry Res 237：83-89, 2016
12) Kelly DL, Powell MM, Wehring HJ, et al：Adjunct aripiprazole reduces prolactin and prolactin-related adverse effects in premenopausal women with psychosis：results from the DAAMSEL clinical trial. J Clin Psychopharmacol 38：317-326, 2018
13) Zheng W, Cai DB, Li HY, et al：Adjunctive peony-glycyrrhiza decoction for antipsychotic-induced hyperprolactinaemia：a meta-analysis of randomised controlled trials. Gen Psychiatr 31：e100003, 2018
14) Gopalakrishnan R, Jacob KS, Kuruvilla A, et al：Sildenafil in the treatment of antipsychotic-induced erectile dysfunction：a randomized, double-blind, placebo-controlled, flexible-dose, two-way crossover trial. Am J Psychiatry 163：494-499, 2006
15) 牧　綾子，久田孝光，香取征典：ツムラ芍薬甘草湯エキス顆粒（医療用）の副作用発現頻度調査．診断と治療 104：947-958, 2016
16) 萬谷直樹，岡　洋志，佐橋佳郎，他：甘草の使用量と偽アルドステロン症の頻度に関する文献的調査．日本東洋医学雑誌 66：197-202, 2015
17) Hasan A, Falkai P, Wobrock T, et al：World Federation of Societies of Biological Psychiatry（WFSBP）Guidelines for Biological Treatment of Schizophrenia, part 2：update 2012 on the long-term treatment of schizophrenia and management of antipsychotic-induced side effects. World J Biol Psychiatry 14：2-44, 2013
https://www.wfsbp.org/educational-activities/wfsbp-treatment-guidelines-and-consensus-papers/
18) Goodwin G, Fleischhacker W, Arango C, et al：Advantages and disadvantages of combination treatment with antipsychotics ECNP Consensus Meeting, March 2008, Nice. Eur Neuropsychopharmacol 19：520-532, 2009
19) 稲垣　中，佐藤英樹，稲田　健，他：わが国で実施された臨床試験と使用成績調査の結果から見た抗精神病薬による統合失調症薬物治療の安全性．臨床精神薬理 24：1153-1169, 2021

第 5 章

治療抵抗性統合失調症

CQ 5-1
治療抵抗性統合失調症におけるクロザピン治療は有用か？

推奨

クロザピンは他の抗精神病薬と比較して，治療抵抗性統合失調症に対して，精神症状を改善させ **B**，治療継続率 **D** と生活の質（quality of life：QOL）の改善 **D** については差がなく，すべての有害事象の発現は多いが **C**，錐体外路症状の発現は少ない **C**．

これらエビデンスより，クロザピンは治療抵抗性統合失調症に有効な薬剤であり，副作用の発現に注意をする必要があるものの，使用することが強く推奨される **1C**．

解説

　クロザピンは海外の主要なガイドラインでも治療抵抗性統合失調症への第一選択として取り上げられており，本邦では治療抵抗性統合失調症に的を絞った適応を持つ唯一の薬剤である．本邦におけるクロザピンの適応は，治療抵抗性統合失調症であり，その中には，反応性不良と耐容性不良がある[1]．反応性不良の定義は「2種類以上の抗精神病薬」を「クロルプロマジン換算600 mg/日以上」にて「4週間以上」投与して，「機能の全体的評定（Global Assessment of Functioning：GAF）が41点以上に相当する状態になったことがない」ことである．耐容性不良は錐体外路症状により十分に増量できない場合のことを指す．本CQにおいても，本邦における臨床実践に役立てるよう治療抵抗性統合失調症をクロザピン使用における反応性不良と同様に定義している．

　精神症状の改善について，Siskindらは治療抵抗性統合失調症患者におけるクロザピンとその他の抗精神病薬の有効性と忍容性を比較したメタ解析〔N（研究数）=25，n（患者数）=2,364〕を報告している[2]．それによると，クロザピンはその他の抗精神病薬と比較して，短期的（3か月未満）には精神病症状全般，陽性症状，陰性症状を有意に改善し（精神病症状全般：標準化平均値差=−0.39，95％信頼区間−0.61〜−0.17，$p=0.0005$；陽性症状：標準化平均値差=−0.27，95％信頼区間−0.47〜−0.08，$p=0.006$；陰性症状：標準化平均値差=−0.25，95％信頼区間−0.40〜−0.10，$p=0.00091$），長期的には精神病症状全般と陰性症状の有意な改善は認められないが，陽性症状を有意に改善させる（標準化平均値差=−0.25，95％信頼区間−0.43〜−0.07，$p=0.006$）と報告されている．よって，クロザピンは治療抵抗性統合失調症に対して他の抗精神病薬と比較して精神症状を改善する **B**．

　すべての理由による治療中断について，Samaraらによるペアワイズ比較では，オランザピン，リスペリドン，クロルプロマジン，ハロペリドール，ziprasidoneとの直接比較において有意差は示されていない[3]．また，同報告のネットワークメタ解析において，ク

ロザピンは他の抗精神病薬と比較し，治療継続率に有意差は認められなかった．よって，クロザピン治療は他の薬剤と比較して治療継続率に違いはない D．

QOL の改善について，第二世代抗精神病薬（second generation antipsychotics：SGAs）とクロザピンが治療抵抗性統合失調症の QOL に及ぼす影響を調べた研究は 2 つ存在する．Naber らはクロザピンを除く 1 剤以上の抗精神病薬に対して不応性または不耐性がみられた統合失調症患者を対象に，クロザピンまたはオランザピンを割り付ける 26 週間の二重盲検の無作為化比較試験（randomized controlled trial：RCT）（n＝114）の結果を報告しているが，両群間に有意差は認められなかった[4]．また，Lewis らは治療抵抗性統合失調症患者を対象に，クロザピンと他の SGAs に割り付けた 52 週間の評価者盲検 RCT（n＝136）にて QOL に及ぼす影響を検討しているが，両群に有意差は認められていない[5]．これらの結果から，クロザピン治療により治療抵抗性統合失調症の QOL が改善するという明らかなエビデンスは得られなかった D．

錐体外路症状を除くすべての有害事象の増加について，前述した Siskind らのメタ解析では，クロザピンは他の抗精神病薬と比較して，流涎（治療による害発現必要症例数＝4），頻脈（同＝7），鎮静（同＝7），めまい（同＝11），便秘（同＝12），けいれん（同＝17），発熱（同＝19），悪心・嘔吐（同＝19）といった一般的な副作用の出現が有意に多く，口渇（治療効果発現必要症例数＝7）と不眠（同＝13）は有意に少なく，高血圧，頭痛，体重増加については違いがなかったことが報告されている[2]．よって，錐体外路症状を除く，すべての有害事象はクロザピンにおいて多い C．また，頻度は高くないものの重篤な副作用である無顆粒球症，好中球減少症，心筋炎，心筋症，血栓塞栓症などの出現には注意をする必要があり[6]，これらについては CQ 5-2（→ 106 頁）にて詳述する．

錐体外路症状の改善について，前述した Samara らによるメタ解析では，ペアワイズ比較においてクロザピンはリスペリドンと比較して抗パーキンソン薬による治療が有意に少ないこと（オッズ比 0.09，95％ 信頼区間 0.01～0.40）が示されている[3]．また，同試験内で行われたネットワークメタ解析の結果では，クロザピンはリスペリドンおよびハロペリドールと比較して有意に抗パーキンソン薬治療が少ないことが示されている．よって，クロザピンは他の抗精神病薬と比較して錐体外路症状が少ない C．

死亡の増加と自殺の減少は重要なアウトカムであるが，これらに関する明確なエビデンスは得られなかった．

これらエビデンスより，クロザピンは治療抵抗性統合失調症に有効な薬剤であり，副作用の発現に注意をする必要があるものの，使用することが強く推奨される 1C．

参考文献

1) ノバルティスファーマ株式会社：クロザリル® 添付文書．2021 年 6 月改訂（第 2 版）
2) Siskind D, McCartney L, Goldschlager R, et al：Clozapine v. first- and second-generation antipsychotics in treatment-refractory schizophrenia：systematic review and meta-analysis. Br J Psychiatry 209：385-392, 2016

3) Samara MT, Dold M, Gianatsi M, et al：Efficacy, acceptability, and tolerability of antipsychotics in treatment-resistant schizophrenia：a network meta-analysis. JAMA Psychiatry 73：199-210, 2016
4) Naber D, Riedel M, Klimke A, et al：Randomized double blind comparison of olanzapine vs. clozapine on subjective well-being and clinical outcome in patients with schizophrenia. Acta Psychiatr Scand 111：106-115, 2005
5) Lewis SW, Barnes TRE, Davies L, et al：Randomized controlled trial of effect of prescription of clozapine versus other second-generation antipsychotic drugs in resistant schizophrenia. Schizophr Bull 32：715-723, 2006
6) Taylor DM, Barnes TRE, Young AH：The Maudsley Prescribing Guidelines in Psychiatry, 13th edition. Wiley Blackwell, Hoboken, 2018
　　https://dl.uswr.ac.ir/bitstream/Hannan/32636/1/9781119442608.pdf

補記： 治療抵抗性統合失調症 (TRS)

　広義の治療抵抗性統合失調症（treatment-resistant schizophrenia：TRS）の定義は，複数の抗精神病薬を，十分量，十分期間投与しても改善が認められない1群を指す．「複数の抗精神病薬」「十分量」「十分な期間」「改善が認められない」における定義はさまざまあるが，本邦では「2種類以上の抗精神病薬」を「クロルプロマジン換算600 mg/日以上」にて「4週間以上」投与して，「機能の全体的評定（Global Assessment of Functioning：GAF）が41点以上に相当する状態になったことがない」というのがクロザピン使用における反応性不良の定義となっている［表1］[1]．本ガイドラインにおいても，本邦における臨床実践に役立てるよう治療抵抗性統合失調症をクロザピン使用における反応性不良と同様に定義している．クロザピンの適応における耐容性不良（錐体外路症状により十分に増量できない場合）による治療抵抗性統合失調症に関しては，［表2］に示した．

　治療抵抗性統合失調症に対して有用であるとして適応が認められている薬剤は，世界中においてクロザピンのみである．よって，本章においては臨床疑問（clinical question：CQ）

表1　反応性不良の基準

忍容性に問題がない限り，2種類以上の十分量の抗精神病薬[a,b]〔クロルプロマジン換算600 mg/日以上で，1種類以上の非定型抗精神病薬（リスペリドン，ペロスピロン，オランザピン，クエチアピン，アリピプラゾール等）を含む〕を十分な期間（4週間以上）投与しても反応がみられなかった[c]患者．なお，服薬コンプライアンスは十分確認すること．

[a] 非定型抗精神病薬が併用されている場合は，クロルプロマジン換算で最も投与量が多い薬剤を対象とする．
[b] 定型抗精神病薬については，1年以上の治療歴があること．
[c] 治療に反応がみられない：GAF（Global Assessment of Functioning）評点が41点以上に相当する状態になったことがないこと．
〔ノバルティスファーマ株式会社：クロザリル®添付文書．2021年6月改訂（第2版）より転載〕

表2　耐容性不良の基準

リスペリドン，ペロスピロン，オランザピン，クエチアピン，アリピプラゾール等の非定型抗精神病薬のうち，2種類以上による単剤治療を試みたが，以下のいずれかの理由により十分に増量できず，十分な治療効果が得られなかった患者． ・中等度以上の遅発性ジスキネジア[a]，遅発性ジストニア[b]，あるいはその他の遅発性錐体外路症状の出現，または悪化 ・コントロール不良のパーキンソン症状[c]，アカシジア[d]，あるいは急性ジストニア[e]の出現

[a] DIEPSS（Drug-Induced Extra-Pyramidal Symptoms Scale）の「ジスキネジア」の評点が3点以上の状態．
[b] DIEPSSの「ジストニア」の評点が3点以上の遅発性錐体外路症状がみられる状態．
[c] 常用量上限の抗パーキンソン薬投与を行ったにもかかわらず，DIEPSSの「歩行」「動作緩慢」「筋強剛」「振戦」の4項目のうち，3点以上が1項目，あるいは2点以上が2項目以上存在する状態．
[d] 常用量上限の抗パーキンソン薬投与を含む様々な治療を行ったにもかかわらず，DIEPSSの「アカシジア」が3点以上である状態．
[e] 常用量上限の抗パーキンソン薬投与を含む様々な治療を行ったにもかかわらず，DIEPSSの「ジストニア」の評点が3点に相当する急性ジストニアが頻発し，患者自身の苦痛が大きいこと．
〔ノバルティスファーマ株式会社：クロザリル®添付文書．2021年6月改訂（第2版）より転載〕

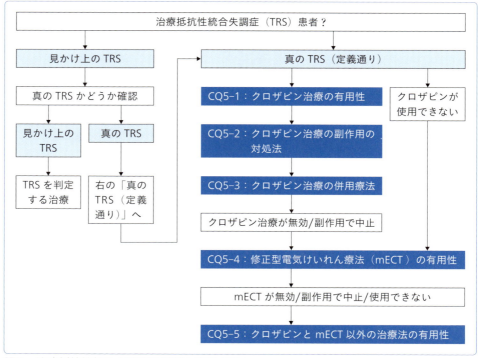

図1　治療抵抗性統合失調症の診断と治療の流れ

として，まずクロザピン治療を取り上げ，その有用性（CQ 5-1 →100頁），副作用（CQ 5-2 →106頁），併用療法（CQ 5-3 →111頁）について述べている（[図1]）．次に，本邦ではクロザピン治療が導入される前には，治療抵抗性統合失調症に対して修正型電気けいれん療法（modified electroconvulsive therapy：mECT）がよく用いられていたため，mECTを CQ 5-4（→113頁）とし，それ以外の治療法を CQ 5-5（→121頁）としている．

クロザピンには無顆粒球症という重篤な副作用があることから，それに対応するためのモニタリングシステムを必要とする．本邦では，クロザピンは2009年にモニタリングシステムとともに導入されたが，その恩恵を受けている患者の割合は諸外国と比較して極端に少ない．本邦の統合失調症患者は約80万人でその30%程度が治療抵抗性と推定されることから，治療抵抗性統合失調症患者は約24万人程度と予測される．クロザピン治療を受けている患者は，本邦では1万人程度であり，治療抵抗性統合失調症の25%にクロザピン治療を行うという厚生労働省の目標にはほど遠い現状がある．クロザピン治療を一般的な医療として普及させることが喫緊の課題である．治療抵抗性統合失調症の診断を行うことにより，クロザピン治療率が高まることを示唆するエビデンスも得られており[2]，今後は，治療抵抗性統合失調症の診断を促進する政策が必要とされる．

一方，リアルワールドの臨床現場には，症状や社会機能レベルにおいては治療抵抗性統合失調症と同等であるが，いまだ「治療抵抗性統合失調症」の定義を満たす抗精神病薬治

表 3 見かけ上の治療抵抗性統合失調症への対処法

- 合併する精神疾患の治療
- 治療構造の再構築
- 認知機能・社会機能評価
- 治療目標の再設定
- 不必要な薬剤の中止
- 持効性抗精神病薬
- シングルブラインド処方（要入院）

療を受けていない「見かけ上の治療抵抗性統合失調症」患者が多数存在する．このような患者における治療法についての統制された研究はなく，総説や症例報告があるのみである[3]．そのため，「見かけ上の治療抵抗性統合失調症に対する有用な治療法は何か？」という臨床上必要な疑問については，統制された研究によるエビデンスが全くないため本ガイドラインにおいては取り上げなかった．今後の研究が待たれる分野であるが，治療に成功しなかった場合には，[表3]に示した対処法を考慮しつつ「治療抵抗性統合失調症」の定義を満たすように抗精神病薬治療を行い，クロザピン治療に結び付けられるようにすることが必要であることはいうまでもないであろう．

参考文献

1) ノバルティスファーマ株式会社：クロザリル®添付文書．2021年6月改訂（第2版）
2) Yasui-Furukori N, Muraoka H, Hasegawa N, et al：Association between the examination rate of treatment-resistant schizophrenia and the clozapine prescription rate in a nationwide dissemination and implementation study. Neuropsychopharmacol Rep 42：3-9, 2022
3) 橋本亮太，安田由華，山森英長，他：治療抵抗性統合失調症の治療戦略と病態研究―真の治療抵抗性統合失調症と見かけ上の治療抵抗性統合失調症．臨精薬理 17：1595-1604, 2014

クロザピン治療が有効な症例に副作用が生じた際の
対処法は何か？

準推奨

　本CQではクロザピンに特徴的な副作用である好中球減少症・無顆粒球症，心筋炎・心筋症，けいれん，流涎，発熱を取り扱う．クロザピンに関連した副作用が生じた際には，他の薬剤の場合と同様に，まずクロザピンを減量し，重篤な副作用の場合は一旦中止することを考慮する．しかしながら，クロザピンが効果を示している状況では，副作用が生じていても投与の継続が必要な場合がある．副作用に対してさらなる薬物療法を試みる場合は，新たに別の副作用が発現する可能性があることは常に念頭に置く必要がある．

解説

　本CQではクロザピンに特徴的な副作用である好中球減少症・無顆粒球症，心筋炎・心筋症，けいれん，流涎，発熱を取り扱う．クロザピンに限らず，抗精神病薬一般に認められる副作用（体重増加，錐体外路症状，便秘，QT延長，性機能障害など）への対応については，本ガイドラインの第3章（→57頁）と第4章（→77頁）を参照いただきたい．本CQに該当する系統的レビューや無作為化比較試験（randomized controlled trial：RCT）を検索したものの，全体としての十分なエビデンスは得られなかったため，観察研究を含めたハンドサーチにて検索したエビデンスを含めて，準推奨文および解説を作成した．

1 好中球減少症・無顆粒球症

　疫学的観察研究によると，クロザピンにより好中球減少症・無顆粒球症が発現した患者の約半数では投与開始後18週以内に発現し[1]，最初の12週に発現ピークがあると報告されている[2]．好中球減少症・無顆粒球症の発現は，クロザピンの投与量依存性はないとされている[1,2]．本邦においては，クロザピンの用法・用量は添付文書に記載されており（12.5 mg/日から開始して治療用量まで緩徐に漸増する），血液モニタリングの頻度や手順はクロザリル®患者モニタリングサービス（CPMS）運用手順で定められている．なお，バルプロ酸の併用が好中球減少症の発症率リスクを上昇させる可能性が報告されており[3]，併用薬剤に留意する．

　好中球減少症・無顆粒球症の対処法の基本は，CPMS運用手順に記載されている[4]．血液検査の結果が「白血球数3,000/mm³未満または好中球数1,500/mm³未満」であれば，クロザピンの投与を中止し，血液内科等へ連絡する．「好中球数が500/mm³以上1,000/mm³

未満かつ 38℃ 以上の発熱」である場合には，速やかに血液内科等に連絡し相談する（原則として抗菌薬の投与が必要）．「好中球数 500/mm³ 未満」の場合は速やかに血液内科医等に相談し個室管理を検討する．そして，「好中球数 500/mm³ 未満かつ 38℃ 以上の発熱」を認めた場合には，原則として血液内科医等が無顆粒球症の治療を行う．医療連携協定のある場合はその連携先医療機関へ搬送した上で血液内科医等が治療を行い，あるいは連携元の医療機関の血液内科医等の指示に従い治療を行う〔広域スペクトラムの抗菌薬の投与が行われ，G-CSF（granulocyte colony stimulating factor：顆粒球コロニー形成刺激因子）製剤，抗真菌薬の投与が検討される〕．厚生労働省の重篤副作用疾患別対応マニュアルも参考になる[5]．

クロザピンに関連する好中球減少を呈した成人および小児例におけるリチウムの有効例が報告されており[6-11]，『モーズレイ処方ガイドライン 第13版』には白血球数を回復させて基準値を満たすようにするためのリチウムの使用方法として，リチウム 400 mg/日（夜間投与）を処方し，血漿中濃度が 0.4 mmol/L を超えるまで漸増するとされている[12]．ただし，リチウムを併用していても無顆粒球症を予防できるわけはないこと[13,14]，そもそも統合失調症にリチウム処方をすることは適応外であることに留意すべきである．

なお，2021年6月3日にクロザピンの添付文書および CPMS が以下のように改訂され，海外と同様になる規制緩和がなされた．①血液モニタリングが，52週以降，条件付きで4週間隔の検査とすることが可能となり，②CPMS 運用手順書で定めている再投与検討基準が緩和されるとともに，添付文書上，条件付きで，CPMS で定められた血液検査の中止基準により本剤の投与を中止したことのある患者への再投与が可能となり，③無顆粒球症又は重度の好中球減少症の既往歴のある患者への投与が可能となった．

2 心筋炎・心筋症

心筋炎・心筋症への対処法の基本については，クロザピン適正使用ガイダンスに記載されている[4]．合同研究班で作成された『急性および慢性心筋炎の診断・治療に関するガイドライン』も参考になる[15]．

クロザピンによる治療開始前には心電図検査で心機能異常の有無を確認し，クロザピン投与後は患者の自覚症状および身体所見の十分な観察を行う．クロザピン投与開始後に特に他の理由がなく息切れ，呼吸困難，疲労感，浮腫などの心不全症状，胸痛，心ブロックや不整脈が出現した場合，心筋炎を疑う．心不全症状などがみられたら，迅速に心電図検査，血液検査を行う．血液生化学検査では CRP の上昇，AST，LDH や CK-MB（クレアチンキナーゼ心筋型），心筋トロポニン T などの心筋構成蛋白の血中増加が一過性に確認される．なかでも，心筋トロポニン T の酵素抗体法による迅速測定は簡便で有用である[15]．異常な所見あるいは波形に変化がみられたら，循環器内科医に速やかに相談し，精査や本剤の中止の検討など，適切な対応を行う．心筋炎の早期発見のため，クロザピン投与開始後4週間は毎週，トロポニンと CRP の測定を行うことが望ましい[16]．心筋症の初期徴候としては，息切れ，呼吸困難，失神，めまい，動悸，脈の乱れ，胸部不快感，胸痛，心悸亢進，疲労感などが認められることが多いが，無症候性の場合があることにも留意する．

初期徴候がみられたら，心電図検査，胸部X線検査を行い，異常が認められたら循環器内科医に速やかに相談し，精査や本剤の中止の検討など，適切な対応を行う．

なお，クロザピンの急速な増量，バルプロ酸の併用が心筋炎の発症率を上昇させるという観察研究があり[17]，クロザピンの増量速度や併用薬剤に留意することは予防的観点から有効であるかもしれない．

3 けいれん

クロザピン投与中にけいれんが出現した場合は，アルコールやベンゾジアゼピン受容体作動薬による離脱症状，水中毒など，クロザピン以外の要因でけいれんが生じている可能性をまず除外する必要がある．

クロザピンのけいれん閾値を下げる作用は，その血中濃度に依存することが知られているため[18]，けいれんがクロザピンにより誘発されたものならば，その減量を考慮する[19]．クロザピンの減量が困難な場合には，その発作型に応じて抗てんかん薬を選択し使用することが望ましい．選択される抗てんかん薬としてはバルプロ酸が多く，その場合，けいれん後24時間はクロザピンの内服を中止し，その後クロザピンを当初用量より減量した上で再開し，その上でバルプロ酸を投与することが望ましい[12, 20]．バルプロ酸を併用する際には，肝毒性[21]や無顆粒球症[22]や心筋炎[17]のリスクが増加する可能性があることに注意が必要である．その他の抗てんかん薬としては，ラモトリギン，トピラマート，ガバペンチンなどの有効例も報告されている[18, 20]．カルバマゼピン，フェニトイン，フェノバルビタールはクロザピンの濃度を低下させることが知られており，その副作用の観点からも使用しないことが望ましい[18]．なお，てんかんの既往歴のある患者では注意深く観察を行い，本剤の急激な増量を行わない[4]．近年てんかん治療そのものが新規の抗てんかん薬が導入され大きく変わっているにもかかわらず，それを踏まえたクロザピン誘発性のけいれんに対する抗てんかん薬投与に関する報告はまだ少ないことを考慮して治療を行うことが望ましい．

4 流涎

クロザピンによる唾液分泌亢進は，従来の抗精神病薬により発現する流涎と異なり，安静時や夜間に多い[19]．流涎は時間が経つにつれて軽減されるが，持続することもある[12]．したがって，流涎に対してはまず経過観察とし，持続する場合には薬物療法を試みることが望ましい．

本邦で使用可能な薬剤では，抗ムスカリン薬のプロパンテリン臭化物〔N（研究数）＝6，n（患者数）＝344〕や抗ヒスタミン薬のジフェンヒドラミン（N＝5，n＝334）で有効性が示されている[23]．なおドパミン受容体拮抗薬であるメトクロプラミド[24]，抗コリン作用を有するビペリデン[25]などで改善効果があるとするRCTがそれぞれ1件ずつ確認されるが，その有効性は確立されておらず，それらを使用する場合はその副作用に十分注意する必要がある．

⑤ 発熱

　発熱が出現した場合は，顆粒球減少症や悪性症候群，クロザピン誘発性の臓器の炎症などが生じている可能性に留意して精査する必要がある．クロザピン誘発性の発熱の場合は，体温38℃以上となる発熱が数日間続くが，発熱以外の身体症状はないか，あっても軽度の症状のみである[19]．クロザピン誘発性の発熱の可能性が高い場合，クロザピンを休薬して解熱後に再開することも治療選択肢の1つであるが[19]，クロザピンの投与を継続した例も複数報告されている[26-33]．『モーズレイ処方ガイドライン 第13版』では，発熱への対処として，末梢血の血液検査を行った上で解熱薬を投与すること，クロザピンの増量は緩徐に行うことが提案されている[12]．

参考文献

1) Munro J, O'Sullivan D, Andrews C, et al：Active monitoring of 12, 760 clozapine recipients in the UK and Ireland. Beyond pharmacovigilance. Br J Psychiatry 175：576-580, 1999
2) Alvir JM, Lieberman JA, Safferman AZ, et al：Clozapine-induced agranulocytosis. Incidence and risk factors in the United States. N Engl J Med 329：162-167, 1993
3) Malik S, Lally J, Ajnakina O, et al：Sodium valproate and clozapine induced neutropenia：a case control study using register data. Schizophr Res 195：267-273, 2018
4) ノバルティスファーマ株式会社：クロザリル®患者モニタリングサービス（CPMS）運用手順 第6.0版 http://www.clozaril-tekisei.jp/shared/pdf/cpms_6-0.pdf
5) 厚生労働省：重篤副作用疾患別対応マニュアル 無顆粒球症（顆粒球減少症，好中球減少症）（平成19年6月） https://www.mhlw.go.jp/topics/2006/11/dl/tp1122-1f13_0001.pdf
6) Adityanjee：Modification of clozapine-induced leukopenia and neutropenia with lithium carbonate. Am J Psychiatry 152：648-649, 1995
7) Silverstone PH：Prevention of clozapine-induced neutropenia by pretreatment with lithium. J Clin Psychopharmacol 18：86-88, 1998
8) Boshes RA, Manschreck TC, Desrosiers J, et al：Initiation of clozapine therapy in a patient with preexisting leukopenia：a discussion of the rationale of current treatment options. Ann Clin Psychiatry 13：233-237, 2001
9) Kutscher EC, Robbins GP, Kennedy WK, et al：Clozapine-induced leukopenia successfully treated with lithium. Am J Health Syst Pharm 64：2027-2031, 2007
10) Sporn A, Gogtay N, Ortiz-Aguayo R, et al：Clozapine-induced neutropenia in children：management with lithium carbonate. J Child Adolesc Psychopharmacol 13：401-404, 2003
11) Mattai A, Fung L, Bakalar J, et al：Adjunctive use of lithium carbonate for the management of neutropenia in clozapine-treated children. Hum Psychopharmacol 24：584-589, 2009
12) Taylor DM, Barnes TRE, Young AH：The Maudsley Prescribing Guidelines in Psychiatry, 13th edition. Wiley Blackwell, Hoboken, 2018 https://dl.uswr.ac.ir/bitstream/Hannan/32636/1/9781119442608.pdf
13) Valevski A, Modai I, Lahav M, et al：Clozapine-lithium combined treatment and agranulocytosis. Int Clin Psychopharmacol 8：63-65, 1993
14) Gerson SL, Lieberman JA, Friedenberg WR, et al：Polypharmacy in fatal clozapine-associated agranulocytosis. Lancet 338：262-263, 1991
15) 日本循環器学会，日本胸部外科学会，日本小児循環器学会，他：循環器病の診断と治療に関するガイドライン（2008年度合同研究班報告）．急性および慢性心筋炎の診断・治療に関するガイドライン（2009年改訂版） https://www.j-circ.or.jp/cms/wp-content/uploads/2020/02/JCS2009_izumi_h.pdf
16) Ronaldson KJ, Fitzgerald PB, Taylor AJ, et al：A new monitoring protocol for clozapine-induced myocarditis based on an analysis of 75 cases and 94 controls. Aust N Z J Psychiatry 45：458-465, 2011

17) Ronaldson KJ, Fitzgerald PB, Taylor AJ, et al：Rapid clozapine dose titration and concomitant sodium valproate increase the risk of myocarditis with clozapine：a case-control study. Schizophr Res 141：173-178, 2012
18) Varma S, Bishara D, Besag FMC, et al：Clozapine-related EEG changes and seizures：dose and plasma-level relationships. Ther Adv Psychopharmacol 1：47-66, 2011
19) 藤井康男（編）：クロザピン 100 の Q ＆ A―治療抵抗性への挑戦．星和書店，東京，2014
20) Williams AM, Park SH：Seizure associated with clozapine：incidence, etiology, and management. CNS Drugs 29：101-111, 2015
21) Wirshing WC, Ames D, Bisheff S, et al：Hepatic encephalopathy associated with combined clozapine and divalproex sodium treatment. J Clin Psychopharmacol 17：120-121, 1997
22) Madeb R, Hirschmann S, Kurs R, et al：Combined clozapine and valproic acid treatment-induced agranulocytosis. Eur Psychiatry 17：238-239, 2002
23) Chen SY, Ravindran G, Zhang Q, et al：Treatment strategies for clozapine-induced sialorrhea：a systematic review and meta-analysis. CNS Drugs 33：225-238, 2019
24) Kreinin A, Miodownik C, Mirkin V, et al：Double-blind, randomized, placebo-controlled trial of metoclopramide for hypersalivation associated with clozapine. J Clin Psychopharmacol 36：200-205, 2016
25) Liang CS, Ho PS, Shen LJ, et al：Comparison of the efficacy and impact on cognition of glycopyrrolate and biperiden for clozapine-induced sialorrhea in schizophrenic patients：a randomized, double-blind, crossover study. Schizophr Res 119：138-144, 2010
26) Lowe CM, Grube RRA, Scates AC：Characterization and clinical management of clozapine-induced fever. Ann Pharmacother 41：1700-1704, 2007
27) Verdoux H, Quiles C, de Leon J：Clinical determinants of fever in clozapine users and implications for treatment management：a narrative review. Schizophr Res 211：1-9, 2019
28) Nielsen J, Correll CU, Manu P, et al：Termination of clozapine treatment due to medical reasons：when is it warranted and how can it be avoided? J Clin Psychiatry 74：603-613；quiz 613, 2013
29) Røge R, Møller BK, Andersen CR, et al：Immunomodulatory effects of clozapine and their clinical implications：what have we learned so far? Schizophr Res 140：204-213, 2012
30) Tham JC, Dickson RA：Clozapine-induced fevers and 1-year clozapine discontinuation rate. J Clin Psychiatry 63：880-884, 2002
31) Bruno V, Valiente-Gómez A, Alcoverro O：Clozapine and fever：a case of continued therapy with clozapine. Clin Neuropharmacol 38：151-153, 2015
32) Driver DI, Anvari AA, Peroutka CM, et al：Management of clozapine-induced fever in a child. Am J Psychiatry 171：398-402, 2014
33) Martin N, Williams R：Management of clozapine-induced fever：a case of continued therapy throughout fever. J Psychiatry Neurosci 38：E9-E10, 2013

CQ 5-3 クロザピンの効果が十分に得られない場合の併用療法として何を選択すべきか？

準推奨

電気けいれん療法（electroconvulsive therapy：ECT）の併用は精神症状の改善に有効であるが，記憶障害，頭痛などが発生する可能性がある．精神症状の改善がより求められる状況では，有害事象に留意しながらECTを併用することが望ましい．

バルプロ酸，ラモトリギン，トピラマートの併用は精神症状の改善に有効な可能性がある．しかしながら，その効果は不確実なものであり，忍容性も考慮に入れると，いずれの薬剤との併用も高い有用性を備えているとまでは言えない．いずれの薬剤も統合失調症には適応外であり，精神症状を改善させる必要性が高い症例に対して，有害事象の評価を十分に行うという前提で，やむを得ない状況のみ慎重に導入することになるだろう．

その他の気分安定薬，抗てんかん薬，ベンゾジアゼピン受容体作動薬，抗うつ薬，抗精神病薬，それ以外の薬剤の併用については，いずれも有効性が示されていないか，有用性が示されていても小規模な報告にとどまるものであり，しかもそれらの報告には本邦では承認されていない薬剤も含まれている．したがって，精神症状の改善を目的として，クロザピンとこれらの薬剤の併用は行わないことが望ましい．

解説

本CQでは，治療抵抗性統合失調症に対してクロザピンの効果が十分に得られない場合の併用療法（いわゆる増強療法）について取り扱う．近年，このCQに関するメタ解析の発表が相次いでいるが，本CQに該当する系統的レビューや無作為化比較試験（randomized controlled trial：RCT）を検索したものの，全体としての十分なエビデンスは得られなかったため，観察研究を含めたハンドサーチにて検索したエビデンスを含めて，準推奨文および解説を作成した．いくつかの併用療法に有効性が示されているが，いずれも積極的な使用が推奨されるほどの効果が明らかになったわけではない．

ECTとの併用に関しては，18本のRCT（n=1,769）を包括したメタ解析[1]において，ECT併用群はクロザピン単剤群と比べ，ECT後（標準化平均値差＝－0.88，95％信頼区間－1.33～－0.44，$p=0.0001$，$I^2=86％$）とその後のフォローアップ期間（標準化平均値差＝－1.44，95％信頼区間－2.05～－0.84，$p<0.00001$，$I^2=95％$）で有効性（精神症状の改善）が示されている．有害事象について，ECT併用群は，記憶障害（リスク比16.10，95％信頼区間4.53～57.26，$p<0.0001$，$I^2=0％$，治療による害発現必要症例数＝4，95％信頼区間2～14）と頭痛（リスク

比 4.03，95% 信頼区間 1.54〜10.56，$p=0.005$，$I^2=0\%$，治療による害発現必要症例数＝8，95% 信頼区間 4〜50）の発生頻度が有意に多かったが，治療中断率に差はなかった．効果の持続性については，オープンラベル試験とケースシリーズには ECT を中断した後に 32% が再発するとの報告[2]もあり，ECT 併用の効果が一過性である可能性を念頭に置く必要がある．上記の知見を総合的に考えると，治療抵抗性統合失調症に対するクロザピンと ECT の併用は，精神症状が患者に大きな不利益をもたらしており，改善がより求められる状況においては，有害事象リスクを十分に評価しつつ行うことが望まれる．

　バルプロ酸，ラモトリギン，トピラマートとの併用に関しては，有効である可能性はあるものの，エビデンスの質，効果の強さ，有害事象，長期投与に対する懸念などを総合すれば高い有用性を備えているとは言いがたい[3]．バルプロ酸との併用は，クロザピン投与の初期には心筋炎[4]や顆粒球減少[5]の発生頻度を上昇させる可能性があるのみならず，クロザピンの血中濃度を変動させる可能性がある[6]ことに留意する必要があり，クロザピン導入時の効果判定の重要さを考慮すれば，クロザピン投与の初期に積極的に行うべき併用療法とはいえないだろう．ラモトリギンとの併用は有効である可能性はあるものの高い効果は期待できず，トピラマートとの併用は，治療中断率がその併用群で有意に高く，忍容性に問題があると考えられる．したがって，これらの薬剤との併用にあたっては，精神症状を改善させる必要性が高い症例に対して，有害事象の評価を十分に行うという前提で，やむを得ず慎重に導入することとなるだろう．

　他の抗精神病薬との併用に関しては，比較的多数のメタ解析があるが，包括的に検討したところ有効性ははっきりとせず[7]，本邦では導入時の 4 週間以内に許容されているクロスタイトレーションを除き，原則としてクロザピン単剤処方が取り決められていることを踏まえると，他の抗精神病薬との併用は行わないことが望ましい．

　その他の気分安定薬，抗てんかん薬，リチウム，抗うつ薬，ベンゾジアゼピン受容体作動薬，メマンチン，イチョウ葉エキス，グリシンとの併用に関しては，その有効性および有害事象に関する十分なエビデンスがなく，これらの薬剤の併用は行わないことが望ましい．

参考文献

1) Wang G, Zheng W, Li XB, et al：ECT augmentation of clozapine for clozapine-resistant schizophrenia：a meta-analysis of randomized controlled trials. J Psychiatr Res 105：23-32, 2018
2) Lally J, Tully J, Robertson D, et al：Augmentation of clozapine with electroconvulsive therapy in treatment resistant schizophrenia：a systematic review and meta-analysis. Schizophr Res 171：215-224, 2016
3) Zheng W, Xiang YT, Yang XH, et al：Clozapine augmentation with antiepileptic drugs for treatment-resistant schizophrenia：a meta-analysis of randomized controlled trials. J Clin Psychiatry 78：e498-e505, 2017
4) Ronaldson KJ, Fitzgerald PB, Taylor AJ, et al：Rapid clozapine dose titration and concomitant sodium valproate increase the risk of myocarditis with clozapine：a case-control study. Schizophr Res 141：173-178, 2012
5) Madeb R, Hirschmann S, Kurs R, et al：Combined clozapine and valproic acid treatment-induced agranulocytosis. Eur Psychiatry 17：238-239, 2002
6) Besag FMC, Berry D：Interactions between antiepileptic and antipsychotic drugs. Drug Saf 29：95-118, 2006
7) Galling B, Roldán A, Hagi K, et al：Antipsychotic augmentation vs. monotherapy in schizophrenia：systematic review, meta-analysis and meta-regression analysis. World Psychiatry 16：77-89, 2017

CQ 5-4 クロザピンを使用しない場合,治療抵抗性統合失調症に対して電気けいれん療法は有用か?

準推奨

治療抵抗性統合失調症に対するクロザピン以外の抗精神病薬と電気けいれん療法（electro-convulsive therapy：ECT）の併用は，短期的には精神症状を改善させ，短・中期的には再発を減少させる可能性がある．その一方，短・中期的に認知機能の悪化を増加させる可能性が示されている．このため，クロザピン以外の抗精神病薬と電気けいれん療法の併用は，クロザピン使用が困難な状況下にのみ行うことが望ましい．

なお，治療抵抗性統合失調症に対して，抗精神病薬を併用しない ECT は，エビデンスが不十分であり，行わないことが望ましい．

解説

1938 年に Cerletti と Bini によって最初に ECT を受けた患者は幻覚妄想状態にあった統合失調症患者であった．以降，クロルプロマジン登場までの約 20 年間にわたり，ECT は精神病圏の患者の主要な治療方法とされてきた．しかし抗精神病薬の登場と ECT を"タブー視"する風潮により，米国，西欧，オセアニアなどを中心に，ECT は感情病圏，特に重症うつ病に対する治療として位置づけられるようになったという経緯がある．その後，統合失調症における ECT の使用を支持するエビデンスが確認されるようになっても，それらの臨床研究は規模が小さく，報告はアジアに偏在しており，質の高い無作為化試験は少ないとして，米国精神医学会（American Psychiatric Association：APA）[1] や英国国立医療技術評価機構（National Institute for Health and Care Excellence：NICE）[2] など各国の主要なガイドラインでは，統合失調症に対する ECT の有効性は依然として懐疑的なものとされ，ECT は最終手段としての位置づけにとどまっていた．しかし，治療抵抗性統合失調症という概念の登場により，CQ 5-3（→111 頁）にあるような治療抵抗性統合失調症に対するクロザピンと ECT 併用の有用性だけでなく，治療抵抗性統合失調症に対する ECT[3]，さらには統合失調症に対する ECT[4] についても，その有用性が認識されるようになってきている．近年改訂された ECT のガイダンス[5] では，その位置づけが「治療抵抗性統合失調症に対する治療戦略の 1 つになり得るかもしれない」という表現から「効果的で安全な増強戦略である」と変化しており，本ガイドラインにおいても，治療抵抗性統合失調症に対してクロザピンを使用しない場合，ECT は有用であるか検討が必要であると考えた次第である．本 CQ に該当する系統的レビューや無作為化比較試験（randomized controlled trial：RCT）

を検索したものの，全体としての十分なエビデンスは得られなかったため，観察研究を含めたハンドサーチにて検索したエビデンスを含めて，準推奨文および解説を作成した．

統合失調症に対する ECT の効果について，いくつかの系統的レビューやメタ解析では，ECT が偽 ECT に比べて短期的（6 週間未満）には精神症状の改善や再燃予防，退院の促進に有効である可能性があることが示されている[4, 6, 7]．また，抗精神病薬との併用が抗精神病薬単独より有効性や改善の速さで上回る可能性があることも示されている[8]．ただし，これらは中長期的な効果を示すエビデンスではないことに注意が必要である．副作用については，遷延性けいれん，発作後せん妄，頭痛，筋肉痛，嘔気などが知られており，いずれも対症療法などで軽減することが多い[9, 10]．ECT の死亡率は 10 万回に約 2 回と極めて低く，全身麻酔や薬物療法と同等の危険率であると考えられている[9-11]．なお，ECT に対する不安が 14〜75% の頻度で認められており，とりわけ麻酔，記憶障害，脳への障害を患者は心配しているようであるが，それらの不安を軽減するための有効な介入方法は今のところない[12]．そのため，統合失調症に対する ECT は短期的には抗精神病薬との併用により有用であると考えられるものの，患者の不安に寄り添うケアも同時に求められよう．

統合失調症に対する ECT の適応はカタトニー，幻覚妄想状態の悪化，自殺企図，過去の ECT の良好な反応，抗精神病薬の忍容性の低下などとされている[4]．反応が良好となる予測因子としては，陽性症状，若年，短い罹患期間，家族歴がない，もともとの心理社会的機能が高い，もともとの認知機能が良い，妄想型統合失調症などとされ[4]，反応が不良となる予測因子としては，陰性症状が強いことや罹患期間が長いこととされている[4]．再発に関しての予測因子としては，ECT 実施前の抗精神病薬が高用量であること，自傷行為，ECT 回数が多いことである[4]．電極配置については，両側性側頭部，両側性前頭部，片側性では効果に差がないとする報告と両側性前頭部の方が有効で認知機能障害は少ないとする報告がある[4]．頻度については，週 2 回と週 3 回では認知機能障害に差はなく，週 3 回ではより速く改善するとされる[4]．刺激用量については，閾値でも閾値の 1.5 倍値でも全体の施行回数に差はなく，ただし対象疾患がうつ病の場合より 1 コースの回数は多くなる可能性があるとされる[4, 5]．

治療抵抗性統合失調症に対する ECT について，包括的な報告としては Sinclair らのメタ解析[3]がある．ただし ECT にクロザピンを併用した RCT が多く含まれているため，本 CQ（クロザピンを使用しない場合の有用性）を考察するにはすべての結果をそのまま利用することは適当でない．そこで本 CQ では Sinclair らのメタ解析[3]で採用されている RCT のうち，ECT 単独か，ECT とクロザピン以外の本邦で使用可能な抗精神病薬を併用した RCT[13-15]の結果を参考にした．

その結果，治療抵抗性統合失調症に対して，抗精神病薬を併用しない ECT と抗精神病薬治療を比較し，有効性を検証した質の高い試験は存在しなかった．よって，治療抵抗性統合失調症に対する ECT 単独での施行については，十分なエビデンスがないため，行わないことが望ましい．

次にECTと抗精神病薬の併用について述べる．ECTとオランザピンとの併用についてはオランザピン単独に比べて，短期間の精神症状の改善の割合が有意に多いが〔N（研究数）=1，n（患者数）=72，リスク比1.91，95%信頼区間1.09～3.36〕，短期間の記憶障害が悪化する（N=1，n=72，リスク比27，95%信頼区間1.67～437.68）ことが示された[14]．修正型電気けいれん療法（modified electroconvulsive therapy：mECT）とリスペリドンの併用については，リスペリドン単独と比較して，中期的にウィスコンシンカード分類課題（Wisconsin Card Sorting Test）のカテゴリークリア数は変わらないことが報告されている[15]．再発に関しては，ECTと抗精神病薬（クロルプロマジン）の併用群が抗精神病薬単独群と比較し，再入院が有意に少なかったことが報告されている（N=1，n=25，リスク比=0.29，95%信頼区間0.10～0.85）[13]．

以上より治療抵抗性統合失調症に対するクロザピン以外の抗精神病薬とECTの併用は，クロザピン単独使用や，クロザピンとECTの併用などと比較し，極めてエビデンスが乏しく，しかも報告はアジア地域に偏在し，長期的な影響に関する報告は存在しない．このため，治療抵抗性統合失調症に対するクロザピン以外の抗精神病薬を併用したECTは，認知機能障害を含めたECTに伴う一般的な有害事象に注意しつつ，クロザピン使用が困難な状況下にのみ行うことが望ましい．

参考文献

1) American Psychiatric Association：The Practice of ECT：Recommendations for Treatment, Training and Privileging, 2nd edition. American Psychiatric Association, Washington DC, 2001
2) National Institute for Clinical Excellence：Guidance on the use of electroconvulsive therapy. Technology appraisal guidance〔TA59〕, NICE, London, 2003
3) Sinclair DJ, Zhao S, Qi F, et al：Electroconvulsive therapy for treatment-resistant schizophrenia. Cochrane Database Syst Rev（3）：CD011847, 2019
4) Grover S, Sahoo S, Rabha A, et al：ECT in schizophrenia：a review of the evidence. Acta Neuropsychiatr 31：115-127, 2019
5) Ferrier IN, Waite J：The ECT Handbook, 4th edition. RCPsych Publications, London, 2019
6) Ali SA, Mathur N, Malhotra AK, et al：Electroconvulsive therapy and schizophrenia：a systematic review. Mol Neuropsychiatr 5, 75-83, 2019
7) Tharyan P, Adams CE：Electroconvulsive therapy for schizophrenia. Cochrane Database Syst Rev（2）：CD000076, 2005
8) Painuly N, Chakrabarti S：Combined use of electroconvulsive therapy and antipsychotics in schizophrenia：the Indian evidence. A review and a meta-analysis. J ECT 22：59-66, 2006
9) Mankad MV, Beyer JL, Weiner RD, et al：Clinical Manual of Electroconvulsive Therapy. American Psychiatric Publishing, Washington DC, 2010〔本橋伸高，上田　諭（監訳）：パルス波ECTハンドブック．医学書院，東京，2012〕
10) 本橋伸高，粟田主一，一瀬邦弘，他：電気けいれん療法（ECT）推奨事項　改訂版．精神神経学雑誌 115：586-600, 2013
11) Dennis NM, Dennis PA, Shafer A, et al：Electroconvulsive therapy and all-cause mortality in Texas, 1998-2013. J ECT 33：22-25, 2017
12) Obbels J, Verwijk E, Bouckaert F, et al：ECT-related anxiety：a systematic review. J ECT 33：229-236, 2017
13) Goswami U, Kumar U, Singh B：Efficacy of electroconvulsive therapy in treatment resistant schizophreinia：a double-blind study. Indian J Psychiatry 45：26-29, 2003
14) Wang F, Guo DW：The effect on olanzapine combined with modified electroconvulsive therapy in refractory schizophrenia. Chinese Journal of Clinical Rational Drug Use 24：99, 2013

15) Jiang XQ, Yang KR, Zhou B, et al：Study on efficacy of modified electroconvulsive therapy（MECT）together with risperidone in treatment-resistant schizophrenia（TRS）. Chinese Journal of Nervous and Mental Diseases 35：79-83, 2009

CQ 5-4 補記： 統合失調症と電気けいれん療法（ECT）

うつ病と比較すると，統合失調症の臨床における電気けいれん療法（ECT）の使用場面は限定されている．統合失調症への ECT は従来アジアや東欧の医療機関で広く行われ，それと比較して欧米ではあまり行われてこなかった．しかし近年では米国やオセアニアからも統合失調症への ECT に関する報告が増え，複数のガイドラインで有用性が見直されている．

統合失調症への ECT が注目を集めつつある主な理由は，治療抵抗性統合失調症（treatment-resistant schizophrenia：TRS），特にクロザピン不応/部分反応例への「次の一手」としての役割を期待されてのことだろう．しかしながら，統合失調症に対する ECT のリスク・ベネフィットを調べた信頼できる無作為化比較試験（RCT）は片手で数えられるほどしか存在せず，臨床判断の多くは観察研究やケースシリーズに基づいて行われる．各ガイドラインにおける推奨のばらつきは依然大きく[1]，統合失調症治療における ECT の立ち位置は流動的である．

1 適応についての考え方

ECT の導入には，診断名のみではなく，症例の状況やリスクなどを合わせた多軸的な判断が求められる．①**診断**と②**状況**および③**リスク**に，④**患者・家族など支援者の意向**，⑤**期待できる効果**を加えた5項目が ECT の施行を決定する上での重要事項である．

2 ECT の適応となる状況

本邦の推奨事項[2]においては，ECT の適応となる状況が［表1］の通り示されている．ECT が他の治療に先んじて行われるべき状況，すなわち一次適応（first choice）と，他の

表1　ECT の適応となる状況

一次適応　first choice	
❶ 緊急性	迅速で確実な効果が求められるとき
❷ 安全性	他の治療法より安全と思われるとき
❸ 治療歴	薬物の反応不良/ECT の反応良好
❹ 患者の希望	時間的・経済的コストなどから
二次適応　second choice	
❺ 治療抵抗性	薬物療法などで十分な効果が得られないとき
❻ 薬物不耐性	副作用のため十分な薬物療法が行えないとき

［本橋伸高，栗田主一，一瀬邦弘，他：電気けいれん療法（ECT）推奨事項 改訂版．精神経誌 115：586-600, 2013 をもとに作成］

表2 ECTの相対的禁忌

1) 最近起きた心筋梗塞，不安定狭心症，非代償性うっ血性心不全，重度の心臓弁膜症のような不安定で重度の心血管疾患
2) 血圧上昇により破裂する可能性のある動脈瘤または血管奇形
3) 脳腫瘍その他の脳占拠性病変により生じる頭蓋内圧亢進
4) 最近起きた脳梗塞
5) 重度の慢性閉塞性肺疾患，喘息，肺炎のような呼吸器疾患
6) 米国麻酔学会（ASA）の術前状態分類[注]で4または5と評価される状態

注）ASA 4とは「生命の危険を伴うほどの重篤な全身疾患があり，日常生活が不能な症例」（重症心不全，心筋症，肺・肝・腎・内分泌疾患の進行したもの），ASA 5とは「瀕死の状態で，手術の可否にかかわらず生命の保持が困難な症例」（致命的な頭部外傷，胸腹部大動脈瘤破裂，重症肺塞栓，広範囲腸間膜血管閉塞などに伴うショック状態）を指す．

〔本橋伸高，粟田主一，一瀬邦弘，他：電気けいれん療法（ECT）推奨事項 改訂版．精神経誌 115：586-600, 2013 より転載〕

治療の後に施行が検討される二次適応（second choice）に分けて示されたこの適応は実践的な基準であり，症例が［表1］の❶～❻のいずれかに当てはまらなければECTの適応にはならないと考えてよい．

　ECTは薬物療法に比べて効果発現が速やかで安全性の高い治療であることから，重症の緊張病や精神運動興奮のような緊急性のある症例（❶）や，副作用のために薬物療法が行いにくい症例（❷）に対する切り札として使用することができる．❹の患者自身の自発的希望については注意が必要で，積極的にECTを希望する患者については希望する理由を十分聴取した上で，診断と病態についても見直す必要がある．

　二次適応の中で最も遭遇頻度が多いのは薬物治療抵抗性の症例（❺）であるが，真の薬物治療抵抗性を判断する上では，過去の処方歴や服薬状況をしっかりと確認する必要がある．統合失調症であれば，まずクロザピンを含む十分な薬物療法が検討されたか，行われているか確認をする．

❸ リスク評価

　ECTの施行に際しては，深刻な有害事象を警戒すべき身体的状況が［表2］の通り挙げられている[2]．特殊な状況を除き，これらの状況においてECTの施行は避けるべきである．その他の特筆すべき有害事象として，高齢者では認知機能障害を念頭におく必要があるが，施行間隔や電極配置の見直しなどの工夫を行うことでそのリスクを下げることができる．

❹ 継続・維持ECTの適応判断

　抗精神病薬と併用して行われる継続・維持ECTは，統合失調症の再燃予防において高い効果をもつが，その長期的なリスク・ベネフィットについてはわかっていないことが多い．患者の負担の高さと長期的なエビデンスの乏しさを踏まえるなら，継続・維持ECTはあくまでも最後の手段として位置付けられるだろう．

表3　発作の有効性評価

項目	適切な発作の指標
発作持続時間*	運動発作：20（15）秒以上 脳波上発作：25（20）秒以上
脳波における高振幅徐波	10秒以上
脳波における発作後抑制	存在すること
交感神経系の興奮	心拍数/血圧の急上昇

*括弧内は65歳以上の場合

表4　発作誘発困難例への対応

	低リスク	リスクあり/不明
強い理論的背景あり	・GABA受容体作動薬中止 ・抗てんかん薬の中止	―
強いエビデンス （RCT）あり	・過換気の徹底 ・麻酔薬の減量 （レミフェンタニル追加） ・通電タイミングを遅らせる	・麻酔薬変更 （ケタミン）
弱いエビデンス （観察研究・ケースレポート）のみ	・麻酔薬変更 （バルビツール系薬剤） ・フルマゼニル投与	・カフェイン追加 ・キサンチン誘導体追加 ・パルス幅延長/周波数減 ・右片側電極配置 ・double stimulation ・抗精神病薬追加

〔日本精神神経学会ECT・rTMS等検討委員会（編）：ECTグッドプラクティス 安全で効果的な治療を目指して．新興医学出版，2020，p203および諏訪太朗，安田和幸，川島啓嗣，他：電気けいれん療法における発作誘発困難例と200％機器について――対応法に関する現況調査と文献レビュー．総合病院精神医学 33：286-297, 2021をもとに作成〕

導入に際して守られるべき最低限の基準として，①クロザピンを含む薬物による寛解維持が困難であり，②導入が明らかに患者の利益となるような場合に限り，③定期的な施行間隔や薬物療法の見直しとともに，行われるのが妥当である[3]．

5 適切な発作誘発について

ECTの効果を引き出すには誘発された発作の適切性の評価と，それに基づいた治療パラメータの調整が必要である．主な発作の評価指標を[表3]に示す．また，治療器の最大刺激用量を用いても発作誘発が困難な症例への対応を[表4]に示した．

発作の適切性の評価，発作誘発のためのパラメータの調整は専門性の高い技術が必要であり，[表3，表4]に示したものは概要に過ぎない．後述の参考文献や講習から知識を得た上で実践を重ねる必要がある．

6 知識と経験を深めるために

ECT の技法について学ぶための参考文献を以下に挙げる．

- 本橋伸高，粟田主一，一瀬邦弘，他：電気けいれん療法（ECT）推奨事項 改訂版．精神経誌 115：586-600, 2013
- 日本精神神経学会 ECT・rTMS 等検討委員会（編）：ECT グッドプラクティス 安全で効果的な治療を目指して．新興医学出版社，東京，2020
- Mankad MV, Beyer JL, Weiner RD, et al（著），本橋伸高，上田 諭（監訳），竹林 実，鈴木一正（訳）：パルス波 ECT ハンドブック．医学書院，東京，2012
- Ferrier IN, Waite J（eds）：The ECT Handbook, 4th edition. RCPsych, London, 2019

日本精神神経学会，日本総合病院精神医学会，日本精神科救急学会ではそれぞれ年に 1 回程度の ECT 講習会・トレーニングセミナーを開催しており，ここで適応や技法についての知識を深めることができる．また，日本総合病院精神医学会は，ECT の臨床を学ぶための十分な指導体制を備えた施設として ECT 研修施設の認定を行っている．認定施設は学会のウェブサイトで公開されている．

参考文献
1) 諏訪太朗：統合失調症に対する ECT．最新精神医学 24：187-196, 2019
2) 本橋伸高，粟田主一，一瀬邦弘，他：電気けいれん療法（ECT）推奨事項 改訂版．精神経誌 115：586-600, 2013
3) Ferrier IN, Waite J（eds）：The ECT Handbook, 4th edition. RCPsych, London, 2019

CQ 5-5 治療抵抗性統合失調症に対する，クロザピンや電気けいれん療法以外の有効な治療法は何か？

準推奨

治療抵抗性統合失調症に対して，クロザピン以外の抗精神病薬への切り替えにより，精神症状が改善する可能性があるものの，特に有効である薬剤は明らかになっていない．

以上を踏まえ，何らかの理由で治療抵抗性統合失調症の患者に対してクロザピンや電気けいれん療法（electroconvulsive therapy：ECT）以外の治療を選択せざるを得なくなった場合において，現行とは別の抗精神病薬単剤治療へ切り替えることは，検討に値する．なお，治療抵抗性統合失調症においても，クロザピン以外の抗精神病薬とその他の向精神薬を併用しないことが望ましい．

解説

治療抵抗性統合失調症に対する薬物療法では，クロザピンが最も強固なエビデンスを有する薬剤である．クロザピンの治療が困難な理由が，その不耐や不応によるのでなく環境要因等による場合は，クロザピンの治療を導入することができる環境を整えることが望ましく，それが不可能ならば，その導入が可能な施設への転院を提案する．

不耐や不応，あるいは患者自身の意向のため，クロザピンやECT以外の治療を考慮せざるを得ない治療抵抗性統合失調症の症例に遭遇することがある．しかし，治療抵抗性統合失調症を対象としたクロザピン，ECT以外の治療的介入についてのエビデンスは限られており，しかもほとんどはオープンラベル試験や症例報告によるものであり，わずかに数件存在する無作為化比較試験（randomized controlled trial：RCT）についても，バイアスリスクが排除できない報告が大半である．そのため，この領域において高い効果が期待できるとみなされる特定の治療法は，いまだ存在しないと言わざるを得ない．そのために，本CQに該当する系統的レビューやRCTを検索したものの，全体としての十分なエビデンスは得られなかったため，観察研究を含めたハンドサーチにて検索したエビデンスを含めて，準推奨文および解説を作成した．

以下，他の抗精神病薬への切り替え，抗精神病薬との併用，抗精神病薬と向精神薬の併用に関する知見の解説を行うこととする．

治療抵抗性統合失調症に対して，クロザピン以外の抗精神病薬への切り替えと現行処方の継続を比較したRCTは存在しない．クロザピン以外の抗精神病薬同士を比較したRCTはいくつか存在しており[1-7]，そのほとんどは第二世代抗精神病薬（second generation antipsychotics：SGAs）と第一世代抗精神病薬（first generation antipsychotics：FGAs）を比較したものである．精神症状の改善について，オランザピン，リスペリドンがFGAsの一部と比較して有意に優れていたとする報告[5,6]，差はなかったとする報告[4,7]ともに複数あり，結果は一致していない．生活の質（quality of life：QOL）の改善について，アリピプラゾールはFGAsと比較して有意差はなかった（$p=0.052$）[3]．対照群との比較ではなく前後比較によるものではあるが，オランザピン，リスペリドン，アリピプラゾール，ペルフェナジン，リスペリドン持効性注射剤では，効果が不十分な前薬からの変更によって精神症状の改善が認められている[1,3,5,6]．対照群との比較では，すべての理由による中止の増加について結果は一致していない．以上，治療抵抗性統合失調症に対してクロザピン以外の抗精神病薬への切り替えには一定の効果があることが示唆されるが，いずれもが小規模な報告であり結果にもばらつきがあるため，高い効果は期待できず，新たな治療介入の必要性が高い状況でのみ，期待される有効性と出現する可能性の高い有害事象を慎重に検討した上で行うことを提案する．

　クロザピン以外の抗精神病薬を2剤以上併用した場合の効果に関して，治療抵抗性統合失調症のみを対象とした信頼に足る報告はないが，その一方で，観察研究や症例報告では，SGAsの一部を組み合わせた2剤の併用療法で精神症状の改善が認められている[8,9]．よって，治療抵抗性の統合失調症に対するクロザピン以外の抗精神病薬の2剤併用については効果の検証が不十分であり，今後の知見の集積が待たれる．抗精神病薬3剤以上の併用療法には精神症状を改善させるというエビデンスが乏しく，服薬アドヒアランスの低下，相互作用による有害事象の増加を招く可能性があるため，行わないことが望ましい．

　クロザピン以外の抗精神病薬とその他の向精神薬の併用に関しては，抗うつ薬について，抗精神病薬との併用で精神症状の改善を示したとする報告[10,11]があるものの，いずれも小規模であり信頼に足るとは言えない．また，気分安定薬，抗てんかん薬，その他の薬剤とクロザピン以外の抗精神病薬との併用において有効性を示した信頼に足る規模の報告は存在しない．そのため，治療抵抗性統合失調症においても，クロザピン以外の抗精神病薬とその他の向精神薬を併用しないことが望ましい．

参考文献

1) Meltzer HY, Lindenmayer JP, Kwentus J, et al：A six month randomized controlled trial of long acting injectable risperidone 50 and 100 mg in treatment resistant schizophrenia. Schizophr Res 154：14-22, 2014
2) Lindenmayer JP, Citrome L, Khan A, et al：A randomized, double-blind, parallel-group, fixed-dose, clinical trial of quetiapine at 600 versus 1200 mg/d for patients with treatment-resistant schizophrenia or schizoaffective disorder. J Clin Psychopharmacol 31：160-168, 2011
3) Kane JM, Meltzer HY, Carson WH Jr, et al：Aripiprazole for treatment-resistant schizophrenia：results of a multicenter, randomized, double-blind, comparison study versus perphenazine. J Clin Psychiatry 68：213-223, 2007
4) Conley RR, Kelly DL, Nelson MW, et al：Risperidone, quetiapine, and fluphenazine in the treatment of patients with therapy-refractory schizophrenia. Clin Neuropharmacol 28：163-168, 2005
5) Breier A, Hamilton SH：Comparative efficacy of olanzapine and haloperidol for patients with

treatment-resistant schizophrenia. Biol Psychiatry 45：403-411, 1999
6) Wirshing DA, Marshall BD Jr, Green MF, et al：Risperidone in treatment-refractory schizophrenia. Am J Psychiatry 156：1374-1379, 1999
7) Conley RR, Tamminga CA, Bartko JJ, et al：Olanzapine compared with chlorpromazine in treatment-resistant schizophrenia. Am J Psychiatry 155：914-920, 1998
8) Suzuki T, Uchida H, Watanabe K, et al：Effectiveness of antipsychotic polypharmacy for patients with treatment refractory schizophrenia：an open-label trial of olanzapine plus risperidone for those who failed to respond to a sequential treatment with olanzapine, quetiapine and risperidone. Hum Psychopharmacol 23：455-463, 2008
9) Lerner V, Libov I, Kotler M, et al：Combination of "atypical" antipsychotic medication in the management of treatment-resistant schizophrenia and schizoaffective disorder. Prog Neuropsychopharmacol Biol Psychiatry 28：89-98, 2004
10) Ding N, Li Z, Liu Z, et al：Escitalopram augmentation improves negative symptoms of treatment resistant schizophrenia patients —— a randomized controlled trial. Neurosci Lett 681：68-72, 2018
11) Shiloh R, Zemishlany Z, Aizenberg D, et al：Mianserin or placebo as adjuncts to typical antipsychotics in resistant schizophrenia. Int Clin Psychopharmacol 17：59-64, 2002

第 6 章

その他の
臨床的諸問題1

CQ 6-1
安定した統合失調症患者の不眠症状に対して鎮静作用のある向精神薬の使用は推奨されるか？

準推奨

不眠症状には，統合失調症によるもの，統合失調症以外の精神疾患もしくは身体疾患によるもの，原発性睡眠障害によるもの，薬剤によるもの，環境によるものなど，さまざまな成因によるものがあることが考えられる．したがって，安定した統合失調症患者の不眠症状に対しては，その原因を精査し，それぞれの原因に基づいた治療を行うことが望ましい．

解説

統合失調症患者において，不眠は頻度の高い症状であり[1]，生活の質（quality of life：QOL）の低下の原因となるため，治療的介入が必要となる．しかし，安定した統合失調症患者における不眠症状に対して明確な治療指針は示されていない．臨床現場では，ベンゾジアゼピン受容体作動薬，鎮静作用の強い抗精神病薬，鎮静作用の強い抗うつ薬などの併用が不眠症状改善のために用いられているが，その効果は明らかではない．また，ベンゾジアゼピン受容体作動薬は依存形成や認知機能障害，転倒・骨折などの副作用を有し[2]，抗精神病薬は錐体外路症状，体重増加，QT延長などの副作用を有するが[3]，不眠を有する安定した統合失調症患者に対する鎮静作用のある向精神薬の安全性は明らかではない．本CQに該当する系統的レビューや無作為化比較試験（randomized controlled trial：RCT）を検索したものの，全体としての十分なエビデンスは得られなかったため，観察研究を含めたハンドサーチにて検索したエビデンスを含めて，準推奨文および解説を作成した．

本CQのPICOに合致したRCTはわずかに1研究であり[4]，それはベンゾジアゼピン受容体作動薬のエスゾピクロンを検証したものであり，被験者数は39例であった．鎮静作用のある抗精神病薬や抗うつ薬を検討した研究はなかった．そのRCTでは，エスゾピクロン服用群はプラセボ群と比べ不眠症状を有意に改善させたが，睡眠日誌で測定した睡眠指標に有意差はなかった．精神症状尺度，抑うつ症状尺度，QOL，認知機能，有害事象に関してはエスゾピクロン群とプラセボ群に有意差はなかった[4]．死亡例はなく，依存・耐性，遅発性錐体外路症状については調査されていなかった[4]．

本CQに対する系統的レビューはRCTのみを対象としたため，鎮静作用を有する向精神薬の長期的な益と害については評価ができなかった．ベンゾジアゼピン受容体作動薬に関しては，その長期・高用量使用に伴う依存形成[5]，認知機能障害[6]，転倒リスクの増大[7]などの問題が指摘されており，統合失調症患者においてもベンゾジアゼピン受容体作

動薬の長期使用が死亡率の増加と関連していることを報告している研究もあるため[8]，漫然とした長期使用は行わないことが望ましいだろう．

以上の検討結果から，鎮静作用のある向精神薬の服用は不眠症状を改善させることが期待できるかもしれない．しかし，評価期間が8週間と短いために，不眠症状に対する長期の有効性や，依存・耐性，遅発性錐体外路症状など，その評価を短期間で行うことが困難な有害事象は評価できていないこと，RCTであるために死亡などの稀で重篤な有害事象を評価できていないこと，ベンゾジアゼピン受容体作動薬以外の鎮静作用のある向精神薬を検証した研究がなかったこと，包含した研究が少ないためにメタ解析ができなかったことなどから，推奨には至らなかった．

不眠症状は，統合失調症によるもの，統合失調症以外の精神疾患もしくは身体疾患によるもの，原発性睡眠障害によるもの，薬剤によるもの，環境によるものなどが考えられるため，さまざまな成因による不眠症状において共通に有用な治療法が見出されなかったことは驚くべきことではない．よって，その不眠症状が生じる原因を精査し，それぞれの原因に基づいた治療を行うことが望ましい．

参考文献

1) Laskemoen JF, Simonsen C, Büchmann C, et al：Sleep disturbances in schizophrenia spectrum and bipolar disorders—a transdiagnostic perspective. Compr Psychiatry 91：6-12, 2019
2) Pottie K, Thompson W, Davies S, et al：Deprescribing benzodiazepine receptor agonists：evidence-based clinical practice guideline. Can Fam Physician 64：339-351, 2018
3) Hasan A, Falkai P, Wobrock T, et al：World Federation of Societies of Biological Psychiatry（WFSBP）guidelines for biological treatment of schizophrenia, part 2：update 2012 on the long-term treatment of schizophrenia and management of antipsychotic-induced side effects. World J Biol Psychiatry 14：2-44, 2013
4) Tek C, Palmese LB, Krystal AD, et al：The impact of eszopiclone on sleep and cognition in patients with schizophrenia and insomnia：a double-blind, randomized, placebo-controlled trial. Schizophr Res 160：180-185, 2014
5) Murakoshi A, Takaesu Y, Komada Y, et al：Prevalence and associated factors of hypnotics dependence among Japanese outpatients with psychiatric disorders. Psychiatry Res 230：958-963, 2015
6) Stewart SA：The effects of benzodiazepines on cognition. J Clin Psychiatry 66（Suppl 2）：9-13, 2005
7) Wang PS, Bohn RL, Glynn RJ, et al：Hazardous benzodiazepine regimens in the elderly：effects of half-life, dosage, and duration on risk of hip fracture. Am J Psychiatry 158：892-898, 2001
8) Tiihonen J, Mittendorfer-Rutz E, Torniainen M, et al：Mortality and cumulative exposure to antipsychotics, antidepressants, and benzodiazepines in patients with schizophrenia：an observational follow-up study. Am J Psychiatry 173：600-606, 2016

CQ 6-1 補記： 睡眠衛生指導とは

　睡眠衛生指導とは，質のよい睡眠を取るための生活習慣などに関する知識を習得させることである．不眠症臨床においては，薬物療法以前に行われるべきものとして位置付けられており，統合失調症の不眠に対しても必ず行われるべきものである．その詳細はいくつかのグループによって取りまとめられている[1-3]ので詳しくはそちらを参照していただきたい．

　基本的な考え方としては，よい睡眠のためには1日の生活を見直してリズムを作り，朝～日中に活動し，夕方～夜には刺激を避けてリラックスすることを推奨している．

　具体的な指導の例を次頁に示す．

参考文献

1) 睡眠衛生のための指導内容．三島和夫（編）：睡眠薬の適正使用・休薬ガイドライン．じほう，東京，2014
2) 厚生労働省：「健康づくりのための睡眠指針2014」2014年3月
https://www.mhlw.go.jp/file/06-Seisakujouhou-10900000-Kenkoukyoku/0000047221.pdf
3) 睡眠障害対処12の指針．内山　真（編）：睡眠障害の対応と治療のガイドライン　第3版．じほう，東京，2019

睡眠衛生指導

質のよい睡眠をとるために，1日のリズムを大切に次のようなことに気をつけましょう．

朝～日中

- 朝は決まった時間に起きましょう

- 目が覚めたら日光を取り入れ体内時計をスイッチオン！

- 3度の食事を規則正しくとりましょう

    朝食はしっかり，夕食は軽めがよいでしょう．

- 適度な運動をしましょう

- 昼寝は30分以内にしましょう

夕方～寝る前

- 夕方からは刺激は避けましょう

    カフェインやたばこは寝付きにくくなります．

- アルコールも避けてください

    アルコールは睡眠の質を悪くしますし，他の薬との併用は危険です．

- リラックスできる方法があれば取り入れてください

    ぬるめのお風呂，ストレッチなど．

- 寝室の環境を整えましょう

    寝室は静かに，光は多くなく，快適な温度に保ちましょう．
    ソファやこたつではなく，布団で寝てください．

- スマートフォンやパソコンは控えましょう

CQ 6-2
統合失調症患者の不安・不穏および不眠症状に対する抗不安作用・鎮静作用を有する向精神薬の頓服使用は推奨されるか？

準推奨

統合失調症患者の不安・不穏および不眠症状に対する抗不安作用・鎮静作用を有する向精神薬の頓服使用はしばしば行われているが，十分なエビデンスはないため，積極的な使用は望ましいとは言えない．一方，第二世代抗精神病薬（second generation antipsychotics：SGAs）については不穏時や不眠時の頓服使用の有効性が示唆されており，患者自身の判断で必要時に服用できる頓服薬の使用は患者の生活の質（quality of life：QOL）を向上させる可能性が示唆される．しかし，本ガイドラインの CQ 1-3（→ 37 頁）および CQ 1-4（→ 40 頁）において抗精神病薬や向精神薬を併用しないことが推奨されており，頓服の安易な連用が過鎮静や多剤併用大量処方に結びつく危険性も指摘されていることから，仮に有効性が示唆されていたとしても，漫然とした使用につながらないよう留意する必要がある．

解説

統合失調症の治療過程において，不安・不穏時や不眠時に対し定時薬以外の介入が必要となることは少なくない．本 CQ では，定時薬以外の介入に際して利用されるものを「頓服薬」と呼ぶこととするが，それを「患者との合意に基づいて医療者があらかじめ処方し，患者が自身の意思で服用できる内服薬」と定義し，注射剤による処置は含めていない．頓服薬の効果の評価としては，単回使用した際の効果を評価したエビデンスを利用した．これまでの海外のガイドラインでは，急性期治療における薬物選択の推奨を示したものはあるものの，「頓服使用」の指針を示したものは 1993 年の"Royal College of Psychiatrists' Guideline"に限られており，そこには特定薬剤の推奨の記載は認められない．本 CQ に該当する系統的レビューや無作為化比較試験（randomized controlled trial：RCT）を検索したものの，全体としての十分なエビデンスは得られなかったため，観察研究を含めたハンドサーチにて検索したエビデンスを含めて，準推奨文および解説を作成した．

統合失調症の不安・不穏時の頓服薬について，これまでよく利用されていたものは第一世代抗精神病薬（first generation antipsychotics：FGAs）あるいはベンゾジアゼピン受容体作動薬の静脈注射や筋肉注射であった．現在でも，これらは患者が不穏状態にあって診療が困難な状況の際には使用されることがあるものの，SGAs がさまざまな剤型として開発されるに至り，臨床現場では必要に応じて SGAs が頓服薬として使用されており，適切な介入

となっていることを示す報告も散見されている．SGAs のリスペリドンは，頓服使用でも FGAs の注射を上回る有益性（2 mg のリスペリドン単回使用がハロペリドールなどの筋肉注射と同等[1]，あるいはそれ以上[2]の有効性を示し，有害事象の発現率は低い[2]こと）が示されている．また統合失調症の不安・不穏時における有用性を，オランザピンとハロペリドールで比較した二重盲検試験においては（いずれも初日は 10 mg 内服），投与 1～24 時間後までは同等の効果が確認され，その後の忍容性についてはオランザピンがハロペリドールを上回ったとされている[3]．クエチアピンについては，精神科救急外来における不穏時対応の観察研究で，平均 203 mg（100～800 mg）の内服により，投与初日において攻撃性のスコアに有意な改善（Overt Aggression Scale が 39% 減）が認められている[4]．これら SGAs については，近年，液体製剤（内用液），口腔内崩壊錠，舌下錠など，服用時に水が不要な剤型も開発されている．国内で行われた不穏に対するリスペリドン内用液（2 mg），オランザピン口腔内崩壊錠（5 mg），クエチアピンの錠剤（200 mg）の単回投与の効果比較試験では，3 剤とも投与前と 120 分後の比較で薬原性錐体外路症状評価尺度（Drug-induced Extrapyramidal Symptoms Scale：DIEPSS）の評価に有意差はなく，目立った有害事象は認めず，またいずれにおいても 120 分後には中等度以上の精神運動興奮の割合が減るなど経時的な改善が認められている[5]．近年上市されたアセナピン舌下錠では，精神疾患（120 例中，統合失調症および統合失調感情障害が 39 例）の急性期症状に対するプラセボ対照の二重盲検 RCT で，10 mg 内服投与 15 分後からの迅速な効果と安全性が示されている[6]．

軽度の不安症状に関しては，実臨床ではベンゾジアゼピン受容体作動薬が頓服薬として使用されることが多いが，不穏時における単剤での経口投与の効果についてのエビデンスは極めて乏しい．確かに，不穏時における抗精神病薬の筋注投与や経口投与を行う臨床試験の多くではベンゾジアゼピン受容体作動薬の併用が許容されているという実態があり，併用によって実際には鎮静効果が増強されていたり抗精神病薬の副作用が緩和されたりしている可能性はあるものの，その科学的根拠はいまだ乏しいと考えるのが適切であろう．米国の『エキスパート・コンセンサス・ガイドライン』(2005) では，統合失調症の急性期症状への第一選択薬としては，単剤のオランザピンまたはリスペリドン，あるいはリスペリドンまたはハロペリドールとベンゾジアゼピン受容体作動薬の併用，第二選択薬としては，クエチアピンまたは ziprasidone（本邦未承認）が推奨されている[7]．不安・不穏時の頓服薬使用には一定の長所が示唆されてはいるが，短所は常習化により多剤併用大量療法につながる可能性が指摘されていることであり[8]，本ガイドラインの CQ 1-3（→ 37 頁）および CQ 1-4（→ 40 頁）では抗精神病薬や向精神薬を併用しないことが推奨されていることも踏まえると，不安・不穏時の頓服薬を漫然と連用することにならないように注意が必要である．

統合失調症の不眠時の頓服薬について，向精神薬の単回投与の効果をプラセボ対照で検討した RCT は存在しない．ほとんどの睡眠薬は，開発段階において不眠症患者への単回投与の有用性が確認されており，顕著な精神症状を伴わない場合であれば，統合失調症の遷延した不眠に対しても一定の効果が期待できるかもしれない．しかしながら，不眠の背

景に精神症状の悪化がある場合には，しばしば抗精神病薬がまず必要とされる．抗精神病薬による統合失調症の睡眠への影響を検討した研究では，ポリソムノグラフィによる睡眠構築への影響を調べたものがあり，クロルプロマジンによる総睡眠時間の増加[9]，リスペリドン内用液によるノンレム睡眠（睡眠段階2）の増加[10]，オランザピンによる深い徐波睡眠の増加[11] が示されているが，頓用使用の有用性についてはさらなる検証が必要である．また，不安・不穏時と同様，本ガイドラインの CQ 1-4（→40頁）において向精神薬の併用は推奨されていないため，多剤併用大量療法の入り口にならないよう，常習化には注意を払う．

参考文献

1) Currier GW, Simpson GM：Risperidone liquid concentrate and oral lorazepam versus intramuscular haloperidol and intramuscular lorazepam for treatment of psychotic agitation. J Clin Psychiatry 62：153-157, 2001
2) Lejeune J, Larmo I, Chrzanowski W, et al：Oral risperidone plus oral lorazepam versus standard care with intramuscular conventional neuroleptics in the initial phase of treating individuals with acute psychosis. Int Clin Psychopharmacol 19：259-269, 2004
3) Kinon BJ, Ahl J, Rotelli MD, et al：Efficacy of accelerated dose titration of olanzapine with adjunctive lorazepam to treat acute agitation in schizophrenia. Am J Emerg Med 22：181-186, 2004
4) Ganesan S, Levy M, Bilsker D, et al：Effectiveness of quetiapine for the management of aggressive psychosis in the emergency psychiatric setting：a naturalistic uncontrolled trial. Int J Psychiatry Clin Pract 9：199-203, 2005
5) 吉村直記，大坪天平，熊田貴之，他：統合失調症激越状態に対する risperidone, olanzapine, quetiapine 単回使用の効果．臨床精神薬理 13：957-966, 2010
6) Pratts M, Citrome L, Grant W, et al：A single-dose, randomized, double-blind, placebo-controlled trial of sublingual asenapine for acute agitation. Acta Psychiatr Scand 130：61-68, 2014
7) Allen MH, Currier GW, Carpenter D, et al：The expert consensus guideline series. Treatment of behavioral emergencies 2005. J Psychiatr Pract 11（Suppl 1）：5-108, 2005
8) Kaplan J, Dawson S, Vaughan T, et al：Effect of prolonged chlorpromazine administration on the sleep of chronic schizophrenics. Arch Gen Psychiatry 31：62-66, 1974
9) Kupfer DJ, Wyatt RJ, Synder F, et al：Chlorpromazine and sleep in psychiatric patients. Arch Gen Psychiatry 24：185-189, 1971
10) 小鳥居 望：Risperidone oral solution の睡眠障害に対する即時効果——未治療の統合失調症者を対象とした PSG による検討．臨床精神薬理 10：799-810, 2007
11) Salin-Pascual RJ, Herrera-Estrella M, Galicia-Polo L, et al：Olanzapine acute administration in schizophrenic patients increases delta sleep and sleep efficiency. Biol Psychiatry 46：141-143, 1999

CQ 6-3
過眠症状を有する統合失調症患者に対して抗精神病薬の変更・減量，または併用されている向精神薬の減量・中止は推奨されるか？

準推奨

過眠症状を有する統合失調症患者においては，過眠症状をきたし得る他の疾患の併存や抗精神病薬以外の薬剤による過鎮静を鑑別することが重要であり，その上で抗精神病薬の影響について検討することが望ましい．ベンゾジアゼピン受容体作動薬や抗うつ薬の併用はいずれも眠気と関連しているため，これらの減量・中止を検討することが望ましい．抗精神病薬間に鎮静作用の強弱が存在することが示唆されており，過眠症状の原因が抗精神病薬と考えられる場合には，鎮静作用のより弱い抗精神病薬への変更を検討することが望ましい．抗精神病薬の鎮静作用の用量依存性については結論が出ていないが，減量が過眠症状の改善に寄与する可能性があり，検討することが望ましい．なお，これらの介入は，病状悪化のリスクにもなりうるため，個々の患者の状態を総合的に勘案しながら行うことが大切である．

解説

CQ に該当する系統的レビューや無作為化比較試験（randomized controlled trial：RCT）を検索したものの，全体としての十分なエビデンスは得られなかったため，観察研究を含めたハンドサーチにて検索したエビデンスを含めて，準推奨文および解説を作成した．

統合失調症における過眠症状については，それが過眠をきたす他の病態や疾患の併存や抗精神病薬以外の薬剤によるものなのか，そして抗精神病薬によるものなのかをまず鑑別することが重要である．過眠症状をきたす病態や疾患としては，肝・腎機能障害，貧血，代謝性疾患，電解質異常，炎症性疾患，脳器質性疾患などの身体性疾患，睡眠時無呼吸症候群，ナルコレプシーなどの過眠症状を呈する睡眠障害，慢性的な睡眠不足の影響などが挙げられる[1]．これらと抗精神病薬以外の薬剤による過鎮静を十分に鑑別した上で，抗精神病薬の影響について検討することが望ましい[1]．

統合失調症患者における抗精神病薬以外の向精神薬による眠気については，ベンゾジアゼピン受容体作動薬[2]（リスク比 3.30，95% 信頼区間 1.04～10.40，p 値の記載なし），抗うつ薬[3]（リスク比 3.52，95% 信頼区間 1.61～7.71，$p=0.002$）が，抗精神病薬と併用された場合に有意に関連していると，それぞれ報告されている．したがって，間接的にではあるが，ベンゾジアゼピン受容体作動薬や抗うつ薬の減量・中止は統合失調症患者における過眠症状の改善に有用である可能性が示唆されるため，これらの向精神薬の減量・中止を検討すること

が望ましい．

　統合失調症の薬物治療において，抗精神病薬の鎮静作用は，とくに急性期や再発の際に有用であることが多い．統合失調症の急性期では80%以上で不眠症状が出現する[4]が，抗精神病薬の鎮静作用はしばしば不眠を改善し，睡眠・覚醒リズムを安定化させるのにも役立つ[5]．さらに，抗精神病薬の鎮静作用は急性期における不穏，精神運動興奮の改善にも有効である[6]．しかし一方で，一定数の患者においては，抗精神病薬の鎮静作用は治療維持期における過眠症状の原因となる[5]．過眠症状が遷延化すると，意欲低下，易疲労感，集中困難の一因となるとともに，就学・就労を含めた社会生活上の支障，転倒リスク[7]や体重増加リスク[5]と関係する可能性が指摘されている[6]．以上より，統合失調症に対する抗精神病薬の使用においては，その鎮静作用の影響に留意する．

　急性期の統合失調症に対し抗精神病薬を使用した際の鎮静作用に関するネットワークメタ解析では，対象となった抗精神病薬の半数以上で，プラセボと比較して有意に鎮静作用が生じることが示された[9]．急性期および維持期の統合失調症に対する抗精神病薬の使用において，薬剤間で鎮静作用を直接比較した試験のメタ解析では，オランザピンと比較してクロザピンが（リスク比 1.86, 95%信頼区間 1.54〜2.23, $p<0.001$），パリペリドンと比較してオランザピンが（リスク比 2.85, 95%信頼区間 1.29〜6.31, $p=0.010$），リスペリドンと比較してクエチアピンが（リスク比 1.46, 95%信頼区間 1.09〜1.96, $p=0.010$），それぞれ有意に鎮静作用が強かった[10]．間接的にではあるが，これらの知見より，抗精神病薬間に鎮静作用の強弱が存在することが示唆されるため，統合失調症で過眠症状を呈した際には，鎮静作用のより弱い抗精神病薬への変更を検討することが望ましい．

　急性期の統合失調症を対象にオランザピンの用量ごとの過眠症状の出現頻度を比較したRCTにおいて，鎮静作用と用量との間に有意な相関を認めている[11]．一方，抗精神病薬の用量ごとに鎮静作用の絶対リスク上昇を比較したメタ解析では，多くの薬剤において鎮静作用と用量の相関は明確ではなかった[12]．しかしこのようなメタ解析においては，用量設定が研究間で多様でありデータの統合が十分にできないこと，研究間で鎮静作用の定義が異なることが限界として存在することには留意する必要がある．なお，上記の懸念点に配慮がなされている唯一の研究では，オランザピンの用量と過眠症状との間に相関が認められていることから[11]，他の抗精神病薬においても同様の用量依存性が存在する可能性は否定できない．以上から，抗精神病薬の減薬が過眠症状の改善に寄与する可能性を考慮し，減薬を検討することが望ましい．

　以上から，統合失調症患者における過眠症状を改善させるためには，ベンゾジアゼピン受容体作動薬や抗うつ薬の減量・中止といった介入，鎮静作用の強い抗精神病薬から弱い抗精神病薬への変薬，抗精神病薬の減量について検討することが望ましい．ただし抗精神病薬の中止は再発のリスク因子となる[13]ことから，抗精神病薬の変薬や減量による精神病症状増悪のリスクは念頭に置くべきである（CQ 2-1 →44頁，CQ 2-2 →46頁参照）．またベンゾジアゼピン受容体作動薬や抗うつ薬の中止の際の離脱症状[14,15]についても配慮が必要である．これらの介入は，個々の患者の状態を総合的に勘案しながら行うことが大切

である．

参考文献

1) Murray BJ：A practical approach to excessive daytime sleepiness：a focused review. Can Respir J 2016：4215938, 2016
2) Dold M, Li C, Gillies D, et al：Benzodiazepine augmentation of antipsychotic drugs in schizophrenia：a meta-analysis and Cochrane review of randomized controlled trials. Eur Neuropsychopharmacol 23：1023-1033, 2013
3) Kishi T, Iwata N：Meta-analysis of noradrenergic and specific serotonergic antidepressant use in schizophrenia. Int J Neuropsychopharmacol 17：343-354, 2014
4) Sweetwood HL, Kripke DF, Grant I, et al：Sleep disorder and psychobiological symptomatology in male psychiatric outpatients and male nonpatients. Psychosom Med 38：373-378, 1976
5) Lieberman JA, Stroup TS, McEvoy JP, et al：Effectiveness of antipsychotic drugs in patients with chronic schizophrenia. N Engl J Med 353：1209-1223, 2005
6) Kane JM, Sharif ZA：Atypical antipsychotics：sedation versus efficacy. J Clin Psychiatry 69（Suppl 1）：18-31, 2008
7) Hien le TT, Cumming RG, Cameron ID, et al：Atypical antipsychotic medications and risk of falls in residents of aged care facilities. J Am Geriatr Soc 53：1290-1295, 2005
8) Wetterling T：Bodyweight gain with atypical antipsychotics. A comparative review. Drug Saf 24：59-73, 2001
9) Huhn M, Nikolakopoulou A, Schneider-Thoma J, et al：Comparative efficacy and tolerability of 32 oral antipsychotics for the acute treatment of adults with multi-episode schizophrenia：a systematic review and network meta-analysis. Lancet 394：939-951, 2019
10) Kishimoto T, Hagi K, Nitta M, et al：Long-term effectiveness of oral second-generation antipsychotics in patients with schizophrenia and related disorders：a systematic review and meta-analysis of direct head-to-head comparisons. World Psychiatry 18：208-224, 2019
11) Beasley CM Jr, Tollefson G, Tran P, et al：Olanzapine versus placebo and haloperidol：acute phase results of the North American double-blind olanzapine trial. Neuropsychopharmacology 14：111-123, 1996
12) Fang F, Sun H, Wang Z, et al：Antipsychotic drug-induced somnolence：incidence, mechanisms, and management. CNS Drugs 30：845-867, 2016
13) Leucht S, Tardy M, Komossa K, et al：Antipsychotic drugs versus placebo for relapse prevention in schizophrenia：a systematic review and meta-analysis. Lancet 379：2063-2071, 2012
14) Petursson H, Lader MH：Withdrawal from long-term benzodiazepine treatment. Br Med J（Clin Res Ed）283：643-645, 1981
15) Haddad PM：Antidepressant discontinuation syndromes. Drug Saf 24：183-197, 2001

統合失調症の抑うつ症状にどのような薬物治療が有用か？

準推奨

統合失調症の抑うつ症状については，その成因がさまざまであることを理解し，成因に応じた対応を行うことが必要である．

統合失調症において，抗精神病薬は抑うつ症状，精神症状，生活の質（quality of life：QOL）を改善する．一方で，体重の増加，プロラクチン値の上昇，QTc 間隔の延長，抗パーキンソン薬の使用の増加，鎮静の発現の増加が認められる．以上より，有効性と安全性を考慮すると，統合失調症の抑うつ症状に対して抗精神病薬治療を行うことが望ましい．

抗精神病薬の減量で抑うつ症状の改善は認められず，有害事象による治療中断，精神症状全般の悪化，QOL の改善，自殺企図の改善にも違いはない．以上より，有効性と安全性を考慮すると，統合失調症の抑うつ症状に抗精神病薬の減量は行わないことが望ましい．

抗精神病薬に抗うつ薬の併用を行った場合，QOL の改善が報告されてはいるものの，抑うつ症状改善効果は認められず，すべての有害事象による治療中断，精神病症状の悪化に差はなく，口渇の発現を増加させる．以上より，有効性と安全性を考慮すると，統合失調症の抑うつ症状の改善のためには抗うつ薬は併用しないことが望ましい．

解説

統合失調症の抑うつ症状は，前駆期，初発時，急性期，回復期の精神病後，慢性期における再燃前など，あらゆる病期に生じ[1]，その有病率は 6～75% で最頻値は 25% である[2]．抑うつ症状の併存は，社会生活上の困難や自殺リスクの増大をもたらす[3,4]．

その成因は非常に複雑であり，抗精神病薬の副作用，薬物乱用や離脱に伴うもの，疾患自体によるもの，社会的困難などに対する心理的反応，その他，長期入院などによる施設病的側面によるものなどを念頭に置いて鑑別する必要がある[5]．よって，統合失調症の抑うつ症状については，その成因がさまざまであることを理解した上で，成因に応じた対応を行うことが必要である．

本 CQ に該当する系統的レビューや無作為化比較試験（randomized controlled trial：RCT）を検索したものの，直接比較に基づく全体としての十分なエビデンスは得られなかったため，観察研究を含めたハンドサーチにて検索したエビデンスを含めて，ネットワークメタ解析を用いて，準推奨文および解説を作成した．統合失調症の抑うつ症状に対する抗精神病薬の効果を評価している RCT のネットワークメタ解析〔N（研究数）＝89，n（患者数）＝19,683〕[6] では，本邦にて承認されている 14 種類の抗精神病薬のうち 10 種類は抑うつ症

状がプラセボより減少したが，4種類（ゾテピン，ペルフェナジン，ピモジド，クロルプロマジン）はプラセボと有意差が認められなかった．CQ 1-1（→28頁）に記載しているように，抗精神病薬治療により，精神症状全般の改善，陽性症状の改善と生活の質（quality of life：QOL）の改善が認められる一方で，体重の増加，プロラクチン値の上昇，QTc間隔の延長，抗パーキンソン薬の使用の増加，鎮静の発現の増加が認められるため，有害事象は増加する[7]．自殺に関するエビデンスについての報告はなかった．以上より，有効性と安全性を考慮すると，統合失調症の抑うつ症状に対して抗精神病薬治療を行うことが望ましい．

抗精神病薬の減量による抑うつ症状の改善を評価した4本のRCTでは[8-11]，そのいずれの研究でも抗精神病薬減量群と非減量群では抑うつ症状の改善に有意な差は認められなかった．一方，CQ 2-2（→46頁）にあるように，抗精神病薬の減量と用量維持とを比較したRCT 18本（n=1,385）の最近のメタ解析[12]によれば，有害事象による治療中断，精神症状全般の悪化，QOLの改善に関しては減量群と非減量群とで有意な差はなかった（詳細はCQ 2-2を参照）．また，1本のRCT（n=97）では減量群と非減量群との自殺企図について報告しているが，統計学的な有意差は認められなかった[8]．以上より，有効性と安全性を考慮すると，統合失調症の抑うつ症状に抗精神病薬の減量は行わないことが望ましい．

抗精神病薬による治療中に抗うつ薬またはプラセボを併用し抑うつ症状を評価しているRCTのメタ解析（N=25, n=1,129）では[13]，抗うつ薬併用療法はプラセボ併用療法に比し有意な抗うつ効果を示さなかった．有害事象においては，すべての有害事象による治療中断は抗うつ薬併用群と非併用群とで差はなかった（N=37, n=664）が，口渇の副作用を報告している研究（N=3, n=140）では，抗うつ薬の併用は口渇の副作用を有意に増加させた．精神病症状の悪化（N=8, n=379）については抗うつ薬併用群とプラセボ群とで有意な差は認められず，一方で抗うつ薬の併用はプラセボに比しQOLを改善した（N=5, n=405）．自殺に関する明確なエビデンスについて報告はなかった．このメタ解析では抗うつ薬の併用により統合失調症の症状全般（N=30, n=1,311），陰性症状（N=32, n=1,348）がそれぞれ改善しており，抗うつ薬の併用により抑うつ以外の症状が改善する可能性を示しているが，本CQでは抑うつ症状への効果が最重要アウトカムであり，また抑うつ症状以外への抗うつ薬の使用は適応外使用となることも踏まえ，抗うつ薬は併用しないことが望ましい．

参考文献

1) Siris SG, Addington D, Azorin JM, et al：Depression in schizophrenia：recognition and management in the USA. Schizophr Res 47：185-197, 2001
2) Buckley PF, Miller BJ, Lehrer DS, et al：Psychiatric comorbidities and schizophrenia. Schizophr Bull 35：383-402, 2009
3) Conley RR, Ascher-Svanum H, Zhu B, et al：The burden of depressive symptoms in the long-term treatment of patients with schizophrenia. Schizophr Res 90：186-197, 2007
4) Schennach-Wolff R, Obermeier M, Seemüller F, et al：Evaluating depressive symptoms and their impact on outcome in schizophrenia applying the Calgary Depression Scale. Acta Psychiatr Scand 123：228-238, 2011

5) American Psychiatric Association：Steering Committee on Practice Guidelines：Practice guideline for the treatment of patients with schizophrenia, second edition. Am J Psychiatry 161（2 Suppl）：1-56, 2004
6) Huhn M, Nikolakopoulou A, Schneider-Thoma J, et al：Comparative efficacy and tolerability of 32 oral antipsychotics for the acute treatment of adults with multi-episode schizophrenia：a systematic review and network meta-analysis. Lancet 394：939-951, 2019
7) Leucht S, Leucht C, Huhn M, et al：Sixty years of placebo-controlled antipsychotic drug trials in acute schizophrenia：systematic review, Bayesian meta-analysis, and meta-regression of efficacy predictors. Am J Psychiatry 174：927-942, 2017
8) Rouillon F, Chartier F, Gasquet I：Strategies of treatment with olanzapine in schizophrenic patients during stable phase：results of a pilot study. Eur Neuropsychopharmacol 18：646-652, 2008
9) Wang CY, Xiang YT, Cai ZJ, et al：Risperidone Maintenance Treatment in Schizophrenia（RMTS）investigators：Risperidone maintenance treatment in schizophrenia：a randomized, controlled trial. Am J Psychiatry 167：676-685, 2010
10) Takeuchi H, Suzuki T, Remington G, et al：Effects of risperidone and olanzapine dose reduction on cognitive function in stable patients with schizophrenia：an open-label, randomized, controlled, pilot study. Schizophr Bull 39：993-998, 2013
11) Ozawa C, Bies RR, Pillai N, et al：Model-guided antipsychotic dose reduction in schizophrenia：a pilot, single-blind randomized controlled trial. J Clin Psychopharmacol 39：329-335, 2019
12) Tani H, Takasu S, Uchida H, et al：Factors associated with successful antipsychotic dose reduction in schizophrenia：a systematic review of prospective clinical trials and meta-analysis of randomized controlled trials. Neuropsychopharmacology 45：887-901, 2020
13) Galling B, Vernon JA, Pagsberg AK, et al：Efficacy and safety of antidepressant augmentation of continued antipsychotic treatment in patients with schizophrenia. Acta Psychiatr Scand 137：187-205, 2018

統合失調症の認知機能障害に推奨される薬物治療はあるか？

推奨

統合失調症の認知機能障害について，第二世代抗精神病薬（second generation antipsychotics：SGAs）は，第一世代抗精神病薬（first generation antipsychotics：FGAs）よりも改善させる **B**．SGAs は，FGAs と比べてすべての理由による治療の中断に差は認められないが **B**，再発が少なく **B**，再入院も少ない **B**．抗コリン薬やベンゾジアゼピン受容体作動薬をはじめとしたその他の薬剤の併用による認知機能障害の改善効果は認められない **D**．

これらエビデンスより，有効性と安全性を考慮すると，統合失調症の認知機能障害について，SGAs を用い，抗コリン薬やベンゾジアゼピン受容体作動薬をはじめとした他の薬剤を併用しないことを強く推奨する **1B**．

解説

認知機能とは，記憶，思考，理解，計算，学習，言語，判断などの包括的な能力を示すが[1, 2]，統合失調症の認知機能障害は疾患の中核的症状の 1 つとされ，他の精神症状とは独立しており，その改善が社会機能の改善や機能的転帰と強く関連するとされている[2, 3]ため重要である．多くの統合失調症患者に認知機能障害が認められるとされるが（50～80％），すべてで認められるわけではないため注意が必要である[4]．なお，統合失調症の認知機能障害は研究間で異なる評価スケールを用いているという問題点があり，主に統合失調症認知機能簡易評価尺度（Brief Assessment of Cognition in Schizophrenia：BACS）やウェクスラー成人知能検査（Wechsler Adult Intelligence Scale：WAIS）などの神経心理学的検査が行われている[5]．

一般的に，抗コリン薬やベンゾジアゼピン受容体作動薬の長期併用は認知機能障害を悪化させる[6-8]．よって，2017 年改訂の統合失調症薬物治療ガイドライン「CQ5-4 統合失調症の認知機能障害に対して推奨される薬物治療法はあるか？」でも既に示しているように，抗コリン薬やベンゾジアゼピン受容体作動薬の併用は認知機能に悪影響を与えるため，併用しない．

そもそも統合失調症の治療において抗精神病薬による治療が推奨されているという大前提があるため，認知機能障害の改善についてプラセボ対照の研究は乏しいというのが実情である．少数ではあるが，プラセボを対照として抗精神病薬が認知機能障害を改善するという報告がなされているが，実臨床場面を念頭に置き，抗精神病薬間の認知機能障害に対する効果を検討すべきであろう．よって，ここでは，主に SGAs と FGAs の比較を通して

検討した内容について解説を行うこととした．

SGAs は FGAs と比べて認知機能障害を改善させる効果があるが，その改善効果量は 0.24 程度〔N（研究数）= 14，n（患者数）= 514，Hedges' g = 0.24，95% 信頼区間 0.11～0.37〕と小さなものである[9] B ．このような認知機能障害の改善効果は，短期精神病性障害などを含む初回エピソード精神病に対象を限定した場合（N = 11，n = 1,932，Hedges' g = 0.25，95% 信頼区間 0.10～0.40）にも認められる[10]．SGAs 間の比較となるとネットワークメタ解析によるものしかないが，それによると SGAs 間での認知機能障害の改善効果は，研究間で結果が一致していない[11,12]．

統合失調症の認知機能改善効果と同時に，精神症状，有害事象，治療中断を評価した研究はない．しかし，本ガイドライン CQ 2-4（→ 51 頁）で前述したとおり，統合失調症の維持期治療において，SGAs は FGAs と比べてすべての理由による治療の中断に違いは認められないとはいえ，再発が少なく，再入院も少ないことから[13]，FGAs よりも SGAs を使用することが望ましい．

抗精神病薬以外の向精神薬の併用療法に関するエビデンスは限定的である．その他の薬剤（メマンチン，ミノサイクリン，コリンエステラーゼ阻害薬，抗うつ薬，アザピロン系抗不安薬，アトモキセチン，アンフェタミン，メチルフェニデート，プレグネノロン，エリスロポエチン，オキシトシン，ラモトリギン，モダフィニル，バレニクリン）の併用に関する認知機能の改善に関するエビデンスは乏しい D ．

これらエビデンスより，有効性と安全性を考慮すると，統合失調症の認知機能障害について，SGAs を用い，抗コリン薬やベンゾジアゼピン受容体作動薬をはじめとした他の薬剤を併用しないことを強く推奨する 1B ．

なお，統合失調症の認知機能障害には，心理社会的治療が重要な役割を果たしていることは言うまでもなく，これについてはパート 1「統合失調症の治療計画策定」の第 2 章「統合失調症の治療総論」（→ 11 頁）に記載されているため，そちらを参照されたい．

参考文献

1) Andreasen NC, Nopoulos P, O'Leary DS, et al：Defining the phenotype of schizophrenia：cognitive dysmetria and its neural mechanisms. Biol Psychiatry 46：908-920, 1999
2) Green MF, Horan WP, Lee J：Nonsocial and social cognition in schizophrenia：current evidence and future directions. World Psychiatry 18：146-161, 2019
3) Green MF：What are the functional consequences of neurocognitive deficits in schizophrenia? Am J Psychiatry 153：321-330, 1996
4) Ohi K, Sumiyoshi C, Fujino H, et al：A brief assessment of intelligence decline in schizophrenia as represented by the difference between current and premorbid intellectual quotient. Front Psychiatry 8：293, 2017
5) Sumiyoshi C, Fujino H, Sumiyoshi T, et al：Usefulness of the Wechsler Intelligence Scale short form for assessing functional outcomes in patients with schizophrenia. Psychiatry Res 245：371-378, 2016
6) Desmarais JE, Beauclair L, Margolese HC：Anticholinergics in the era of atypical antipsychotics：short-term or long-term treatment? J Psychopharmacol 26：1167-1174, 2012
7) Crowe SF, Stranks EK：The residual medium and long-term cognitive effects of benzodiazepine use：an updated meta-analysis. Arch Clin Neuropsychol 33：901-911, 2018
8) Eum S, Hill SK, Rubin LH, et al：Cognitive burden of anticholinergic medications in psychotic disor-

ders. Schizophr Res 190 : 129-135, 2017
9) Woodward ND, Purdon SE, Meltzer HY, et al : A meta-analysis of neuropsychological change to clozapine, olanzapine, quetiapine, and risperidone in schizophrenia. Int J Neuropsychopharmacol 8 : 457-472, 2005
10) Zhang JP, Gallego JA, Robinson DG, et al : Efficacy and safety of individual second-generation vs. first-generation antipsychotics in first-episode psychosis : a systematic review and meta-analysis. Int J Neuropsychopharmacol 16 : 1205-1218, 2013
11) Nielsen RE, Levander S, Kjaersdam Telléus G, et al : Second-generation antipsychotic effect on cognition in patients with schizophrenia—a meta-analysis of randomized clinical trials. Acta Psychiatr Scand 131 : 185-196, 2015
12) Désaméricq G, Schurhoff F, Meary A, et al : Long-term neurocognitive effects of antipsychotics in schizophrenia : a network meta-analysis. Eur J Clin Pharmacol 70 : 127-134, 2014
13) Kishimoto T, Agarwal V, Kishi T, et al : Relapse prevention in schizophrenia : a systematic review and meta-analysis of second-generation antipsychotics versus first-generation antipsychotics. Mol Psychiatry 18 : 53-66, 2013

CQ 6-5 補記： 認知機能障害の簡易な測定方法とその使い方

　統合失調症の約半数から7割程度の患者に認知機能障害が認められることが知られている．認知機能とは，言語や視覚などのさまざまな情報を記憶したり，行動の段取りを効率よく計画し，実行したりする能力などのことであり，日常の社会生活を送っていく上で非常に重要な能力である．統合失調症患者は日常の社会生活を送ることが困難になる社会機能障害が生じるが，認知機能障害を改善すると，その社会機能が改善することが知られている．

　一方で，認知機能障害は，病気になる前と比較してどれだけ認知機能が低下したかを指すものの，病気になる前に認知機能を測定することはほとんどない．よって，病気になる前の認知機能をJapanese Adult Reading Test（JART）-25推定知能検査，現在の知能をウェクスラー知能検査Ⅲ（WAIS-Ⅲ）の簡略版を用いて測定し，その差を認知機能障害として算出する方法がある[1]．これらの検査は15分程度で行うことができるので，簡単に患者

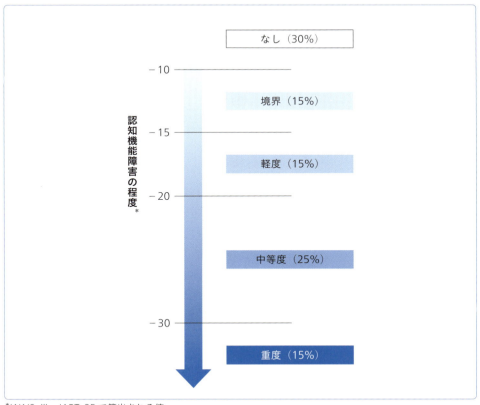

＊WAIS-Ⅲ－JART-25で算出される値
図1　統合失調症の認知機能障害の分布
〔日本神経精神薬理学会（編）：統合失調症薬物治療ガイド—患者さん・ご家族・支援者のために．じほう，東京，2018から改変して転載〕

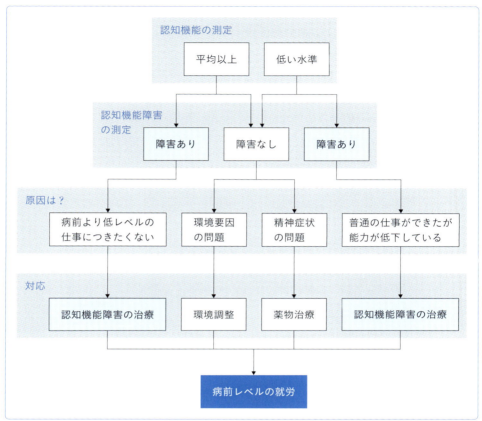

図2 認知機能障害の有無による治療選択―仕事に復帰できない統合失調症患者をどう治療すべきか
〔日本神経精神薬理学会（編）：統合失調症薬物治療ガイド―患者さん・ご家族・支援者のために．p66, じほう，東京，2018 から改変して転載〕

個人の認知機能障害の程度を測定することができる．WAIS-Ⅲの簡略版は，WAIS-Ⅲと高い相関が認められ，しかも，日常生活技能や社会機能とも中程度の相関が認められる指標であることが示されている[2]．認知機能障害は，「なし」「境界」「軽度」「中等度」「重度」に分類される[3]［図1］．WAIS-Ⅲの簡略版を自動計算する Excel ファイルは，国立精神・神経医療研究センターに問い合わせると手に入れることができる*．この簡易な認知機能障害の測定法を用いて，認知機能障害の有無と程度を評価することにより，患者の状態に合わせた治療を行うことができる［図2］．

認知機能障害の治療においては，本 CQ にある薬物療法だけでなく，心理社会的治療が有効であることが知られている．心理社会的療法の代表的なものとして，心理教育，作業療法，デイケア，生活技能訓練，認知機能リハビリテーションなどの精神科リハビリテーションや，就労支援，ケアマネージメントなどの社会的サポート，そして認知行動療法などの精神療法がある（パート1第2章参照）．これらの心理社会的治療を組み合わせて薬物療法と併用すると，薬物療法単独の場合よりも効果が大きくなると報告されている．認

知機能障害の薬物療法と心理社会的療法の効果を検討した過去の研究は，認知機能障害がある患者を対象としたものではなく，認知機能障害の有無を測定せずに行ったものである．認知機能障害がある患者は約半数と考えられるので，認知機能障害がある患者のみを対象に治療を行うと，より大きな効果が得られることが期待される．

***問い合わせ先**：
国立精神・神経医療研究センター　精神保健研究所　精神疾患病態研究部ウェブサイト
https://byoutai.ncnp.go.jp/method_cognitive_impairment/

参考文献

1) 日本神経精神薬理学会（編）：統合失調症薬物治療ガイド―患者さん・ご家族・支援者のために．じほう，東京，2018
日本神経精神薬理学会ウェブサイト
http://www.jsnp-org.jp/csrinfo/img/szgl_guide.pdf
2) Sumiyoshi C, Fujino H, Sumiyoshi T, et al：Usefulness of the Wechsler Intelligence Scale short form for assessing functional outcomes in patients with schizophrenia. Psychiatry Res 245：371-378, 2016
3) Fujino H, Sumiyoshi C, Yasuda Y, et al：Estimated cognitive decline in patients with schizophrenia：a multicenter study. Psychiatry Clin Neurosci 71：294-300, 2017

第 **7** 章

その他の臨床的諸問題2

CQ 7-1 精神運動興奮状態に対して推奨される薬物治療はどれか？

推奨

　統合失調症の精神運動興奮状態に対して，経口抗精神病薬の有効性が報告されている **D**．各薬剤間で精神運動興奮状態に対する効果に大きな差はないとされるが **C**，経口の第二世代抗精神病薬（second generation antipsychotics：SGAs）は経口のハロペリドールに比し錐体外路症状などの忍容性に優れている **D**．以上より，経口投与の場合はSGAsによる薬物療法を弱く推奨する **2D**．筋注製剤の使用については，オランザピン筋注，ハロペリドール筋注，それぞれプラセボと比較して有効である **C**．一方でハロペリドール筋注は錐体外路症状の発現が多いとされるため **C**，オランザピン筋注を弱く推奨する **2C**．

　経口投与と筋注投与の比較においては精神運動興奮状態の改善について違いが認められない **D**．以上より，可能な限り患者との意思疎通を図り，経口投与を最優先に行うよう努めることを推奨する **1D**．

解説

　統合失調症患者では，精神病性の症状として急性の行動障害がみられることがあり，被害妄想や幻聴，幻視などによって二次的に他者への攻撃性が生じることがある．急性の行動障害に対してまずは適切な心理的・行動的アプローチを行うことが必須であり，その上で経口投与を行うことが原則と考えられ，経口投与が不可能な場合に，筋注投与や静注投与による急速な鎮静が行われる[1]．

　精神運動興奮状態において，経口抗精神病薬（ハロペリドール，アリピプラゾール，オランザピン，クエチアピン，リスペリドン，アセナピン）の，プラセボに対する有効性を裏付ける複数の研究が発表されている[2-15] **D**，精神運動興奮状態の改善における薬剤間の明確な違いは報告されていない **C**．一方で第一世代抗精神病薬（first generation antipsychotics：FGAs）を代表するハロペリドールと比較してSGAsでは錐体外路症状などの有害事象が少ないと報告されている **D**．もっとも，いずれの研究でも組み入れ対象患者の行動障害レベルは中程度にとどまっており，被験者には単剤治療としてSGAsが投与されており，頓用として薬剤を追加した場合の有効性や安全性は検証されておらず，経口投与のSGAsは弱く推奨される **2D**．

　筋注用注射剤では，オランザピン筋注のプラセボに対する有効性を裏付ける複数の研究が発表され[16-21] **C**，ハロペリドール筋注のプラセボに対する有効性を裏付ける研究も複数発表されている[19,22] **C**．その他，オランザピンとハロペリドール，オランザピンとハ

ロペリドール＋ロラゼパムを比較した報告もあるが[20, 21]，どちらも効果に有意差はなかったとしている C．副作用については，オランザピンとハロペリドールとプラセボの比較試験で，ハロペリドール投与群で有意にQT延長がみられたとする報告がある[23] C．

抗精神病薬と向精神薬を併用した場合のエビデンスとしては，ハロペリドールとプロメタジンの筋注用注射剤併用についていくつかの報告があり，それらによると，これら2剤の併用はハロペリドール単剤に比べて効果および忍容性で優れ[24] D，これら2剤の併用とミダゾラム単剤を比べるとミダゾラム単剤の方がより早く鎮静効果が得られ[25] C，これら2剤の併用とロラゼパム単剤を比べるとロラゼパム単剤は鎮静効果が得られるのに時間がかかり[26] C，これら2剤の併用はオランザピン筋注と同程度の有効性だが，オランザピン筋注より持続効果が長い可能性がある[27] Cとのことであった．しかし，英国国立医療技術評価機構（National Institute for Health and Care Excellence：NICE）はプロメタジン筋注のエビデンスに疑問を呈している[28]．

抗精神病薬の経口投与と筋注投与の比較においては精神運動興奮状態の改善について有意差がなかった[4, 5] C．静注投与を含む他の投与との比較について信頼できるエビデンスは得られず，どのような順番で投与を行えば有効であるかについて検討している報告も，現段階では確認できない．

精神運動興奮状態の改善のほかに，死亡の減少と生活の質（quality of life：QOL）の改善は重要なアウトカムであるが，これらに関する明確なエビデンスは得られず，すべての有害事象（死亡を除く）についてもごく一部しか報告がないため，報告されたもののみを記述した．

以上より，可能な限り患者との意思疎通を図り，経口投与を最優先に行うよう努めることを推奨する 1D．

参考文献

1) Garriga M, Pacchiarotti I, Kasper S, et al：Assessment and management of agitation in psychiatry：expert consensus. World J Biol Psychiatry 17：86-128, 2016
2) Escobar R, San L, Pérez V, et al：Effectiveness results of olanzapine in acute psychotic patients with agitation in the emergency room setting：results from NATURA study［Article in Spanish］. Actas Esp Psiquiatr 36：151-157, 2008
3) Higashima M, Takeda T, Nagasawa T, et al：Combined therapy with low-potency neuroleptic levomepromazine as an adjunct to haloperidol for agitated patients with acute exacerbation of schizophrenia. Eur Psychiatry 19：380-381, 2004
4) Hsu WY, Huang SS, Lee BS, et al：Comparison of intramuscular olanzapine, orally disintegrating olanzapine tablets, oral risperidone solution, and intramuscular haloperidol in the management of acute agitation in an acute care psychiatric ward in Taiwan. J Clin Psychopharmacol 30：230-234, 2010
5) Currier GW, Chou JC, Feifel D, et al：Acute treatment of psychotic agitation：a randomized comparison of oral treatment with risperidone and lorazepam versus intramuscular treatment with haloperidol and lorazepam. J Clin Psychiatry 65：386-394, 2004
6) Villari V, Rocca P, Fonzo V, et al：Oral risperidone, olanzapine and quetiapine versus haloperidol in psychotic agitation. Prog Neuropsychopharmacol Biol Psychiatry 32：405-413, 2008
7) Walther S, Moggi F, Horn H, et al：Rapid tranquilization of severely agitated patients with schizophrenia spectrum disorders：a naturalistic, rater-blinded, randomized, controlled study with oral haloperidol, risperidone, and olanzapine. J Clin Psychopharmacol 34：124-128, 2014

8) Kinon BJ, Ahl J, Rotelli MD, et al：Efficacy of accelerated dose titration of olanzapine with adjunctive lorazepam to treat acute agitation in schizophrenia. Am J Emerg Med 22：181-186, 2004
9) Kinon BJ, Roychowdhury SM, Milton DR, et al：Effective resolution with olanzapine of acute presentation of behavioral agitation and positive psychotic symptoms in schizophrenia. J Clin Psychiatry 62（Suppl 2）：17-21, 2001
10) Kinon BJ, Stauffer VL, Kollack-Walker S, et al：Olanzapine versus aripiprazole for the treatment of agitation in acutely ill patients with schizophrenia. J Clin Psychopharmacol 28：601-607, 2008
11) Battaglia J, Houston JP, Ahl J, et al：A post hoc analysis of transitioning to oral treatment with olanzapine or haloperidol after 24-hour intramuscular treatment in acutely agitated adult patients with schizophrenia. Clin Ther 27：1612-1618, 2005
12) Marder SR, West B, Lau GS, et al：Aripiprazole effects in patients with acute schizophrenia experiencing higher or lower agitation：a post hoc analysis of 4 randomized, placebo-controlled clinical trials. J Clin Psychiatry 68：662-668, 2007
13) Chengappa KN, Goldstein JM, Greenwood M, et al：A post hoc analysis of the impact on hostility and agitation of quetiapine and haloperidol among patients with schizophrenia. Clin Ther 25：530-541, 2003
14) Hatta K, Kawabata T, Yoshida K, et al：Olanzapine orally disintegrating tablet vs. risperidone oral solution in the treatment of acutely agitated psychotic patients. Gen Hosp Psychiatry 30：367-371, 2008
15) Pratts M, Citrome L, Grant W, et al：A single-dose, randomized, double-blind, placebo-controlled trial of sublingual asenapine for acute agitation. Acta Psychiatr Scand 130：61-68, 2014
16) Perrin E, Anand E, Dyachkova Y, et al：A prospective, observational study of the safety and effectiveness of intramuscular psychotropic treatment in acutely agitated patients with schizophrenia and bipolar mania. Eur Psychiatry 27：234-239, 2012
17) San L, Arranz B, Querejeta I, et al：A naturalistic multicenter study of intramuscular olanzapine in the treatment of acutely agitated manic or schizophrenic patients. Eur Psychiatry 21：539-543, 2006
18) Katagiri H, Fujikoshi S, Suzuki T, et al：A randomized, double-blind, placebo-controlled study of rapid-acting intramuscular olanzapine in Japanese patients for schizophrenia with acute agitation. BMC Psychiatry 13：20, 2013
19) Battaglia J, Lindborg SR, Alaka K, et al：Calming versus sedative effects of intramuscular olanzapine in agitated patients. Am J Emerg Med 21：192-198, 2003
20) Chan HY, Ree SC, Su LW, et al：A double-blind, randomized comparison study of efficacy and safety of intramuscular olanzapine and intramuscular haloperidol in patients with schizophrenia and acute agitated behavior. J Clin Psychopharmacol 34：355-358, 2014
21) Huang CL, Hwang TJ, Chen YH, et al：Intramuscular olanzapine versus intramuscular haloperidol plus lorazepam for the treatment of acute schizophrenia with agitation：an open-label, randomized controlled trial. J Formos Med Assoc 114：438-445, 2015
22) Breier A, Meehan K, Birkett M, et al：A double-blind, placebo-controlled dose-response comparison of intramuscular olanzapine and haloperidol in the treatment of acute agitation in schizophrenia. Arch Gen Psychiatry 59：441-448, 2002
23) Lindborg SR, Beasley CM, Alaka K, et al：Effects of intramuscular olanzapine vs. haloperidol and placebo on QTc intervals in acutely agitated patients. Psychiatry Res 119：113-123, 2003
24) Huf G, Coutinho ES, Adams CE：Rapid tranquillisation in psychiatric emergency settings in Brazil：pragmatic randomised controlled trial of intramuscular haloperidol versus intramuscular haloperidol plus promethazine. BMJ 335：869, 2007
25) TREC Collaborative Group：Rapid tranquillisation for agitated patients in emergency psychiatric rooms：a randomised trial of midazolam versus haloperidol plus promethazine. BMJ 327：708-713, 2003
26) Alexander J, Tharyan P, Adams C, et al：Rapid tranquillisation of violent or agitated patients in a psychiatric emergency setting. Pragmatic randomised trial of intramuscular lorazepam v. haloperidol plus promethazine. Br J Psychiatry 185：63-69, 2004
27) Raveendran NS, Tharyan P, Alexander J, et al：Rapid tranquillisation in psychiatric emergency settings in India：pragmatic randomised controlled trial of intramuscular olanzapine versus intramuscular haloperidol plus promethazine. BMJ 335：865, 2007
28) National Institute for Health and Care Excellence：Evidence Summary of Unlicensed/Off-Label Medicines：Rapid tranquillisation in mental health settings：promethazine hydrochloride. ESUOM 28, 2014 https://www.nice.org.uk/advice/esuom28/

統合失調症の緊張病に推奨される治療法はどれか？

準推奨

　統合失調症の緊張病に限定した抗精神病薬の有効性や安全性について十分なエビデンスは存在しない．そのため，鑑別診断を行い，全身状態に十分注意した上で，通常の統合失調症の治療に準じた薬物療法を検討することが望ましい．悪性症候群が疑われる場合には，直ちにその治療に移行することが望ましい．

　統合失調症に限らずさまざまな疾患に関連する緊張病症状に対して，電気けいれん療法（electroconvulsive therapy：ECT）やベンゾジアゼピン受容体作動薬の有効性が報告されているので，安全性には注意が必要であるが，ECT やベンゾジアゼピン受容体作動薬を検討することは望ましい．

解説

　DSM-5 によると緊張病の本質的な特徴は精神運動の顕著な障害であり，いわゆる昏迷のような精神活動の著しい低下から，常同症や外的刺激によらない興奮といった活動性の病的な亢進まで幅広い複雑な臨床像を呈する疾患単位であり，それは統合失調症を含めた他の精神疾患に関連するもの，他の医学的疾患に関連するもの，特定不能のものに分けられている[1]．

　緊張病と考えられる病態を診る際は，統合失調症の既往の有無にかかわらず，まずは脳炎を含めた感染症，神経疾患，内分泌・代謝疾患などのさまざまな器質的な要因が背景にあることを想定して原因検索を行う必要がある．近年では特に自己免疫性脳炎などを含めた免疫システムとの関連も指摘されている[2]．緊張病は深部静脈血栓症や肺塞栓症などの生命の危機をきたす身体疾患を引き起こす可能性があり，しばしば入院加療を必要とし，経管栄養や中心静脈栄養など脱水や低栄養を改善するなどの処置も必要である[3]．また，悪性症候群との鑑別も重要であり，疑われる場合は直ちにその治療に移行する．全身状態の悪化による長期臥床は廃用症候群などによって，その後の生活の質（quality of life：QOL）を落とす可能性も高い．そのため死亡リスクや QOL の低下を防ぐためにも，速やかに緊張病の鑑別および治療を行うことが重要である．本 CQ に該当する系統的レビューや無作為化比較試験（randomized controlled trial：RCT）を検索したものの，全体としての十分なエビデンスは得られなかったため，観察研究を含めたハンドサーチにて検索したエビデンスを含めて，準推奨文および解説を作成した．

　統合失調症の緊張病に対する抗精神病薬の有効性について RCT は存在していないが，

緊張病に関するレビューでは，第一世代抗精神病薬（first generation antipsychotics：FGAs）ではしばしば効果がなく，緊張病症状の悪化を引き起こす可能性があるとも言われているため[4]，緊張病の薬物療法としてFGAsを選択することには慎重さが求められる．また第二世代抗精神病薬（second generation antipsychotics：SGAs）に関しても一定の見解は得られておらず，クロザピン，オランザピン，リスペリドン，クエチアピン，アリピプラゾールなどが，ベンゾジアゼピン受容体作動薬などで症状の改善が認められない緊張病症例に対して有効性が確認されたとする報告がある一方で，SGAsで緊張病症状の悪化や悪性症候群を引き起こす可能性もあるとの報告があり，注意が必要である[5]．また抗精神病薬治療により緊張病状態を呈するneuroleptic-induced catatonia（NIC）について，それが悪性症候群の初期症状である可能性も指摘されている[6]．統合失調症の緊張病50例に対してロラゼパムを投与し，無効となった症例に対してECTあるいは向精神薬の経口投与を実施した臨床試験があるが，そこではベンゾジアゼピン受容体作動薬は2%の改善にとどまったことに対し，抗精神病薬はクロルプロマジン68%，リスペリドン26%，ハロペリドール16%で改善が得られたとして，その有効性が相対的に高かったことを報告している[7]．抗精神病薬治療による緊張病症状の改善のエビデンスは非常に弱いながらも存在することが確認されたが，緊張病が統合失調症によるものなのか，抗精神病薬によるNICなど悪性症候群の初期症状によるものなのかを十分に鑑別した上で，全身状態に注意しながら薬物療法を行うことが望ましい．

　ECTについては，統合失調症および他の精神疾患における緊張病に対するECTの有効性に関するメタ解析〔N（研究数）=28，n（患者数）=564〕で，緊張病症状の改善が有意に得られることが報告されている[8]．また，維持期に緊張病を呈した統合失調症のレビューにおいて，ECT施行歴のある維持期の多くの例で緊張病症状が再び認められていることが指摘されている[5]．その一方で，ECTで寛解した統合失調症の緊張病11例にECT維持療法を行うと，再発率が少なくなることを報告した研究もある[9]．有害事象については，前述のメタ解析でECT中の不整脈，ECT後の記憶障害などが報告されており，ECT特有の有害事象が増加する可能性があるために注意が必要である[8]．ECTは緊張病症状を改善し，統合失調症の緊張病に対しても有効であるが，有害事象が増加する可能性もあるため，統合失調症の緊張病の治療では，ECTの導入では安全性に十分注意する．

　ロラゼパムについては，慢性期の統合失調症の緊張病に対して，その投与の前後で症状の改善に有意差は認められなかったとするRCTもあるが[10]，急性期の緊張病に対して寛解を認めたとするケースシリーズもある[11]．緊張病を呈した統合失調症の観察研究の文献を集めたレビューでは，ロラゼパムが最も使用されており，よく用いられている使用量は8〜24 mg/日とされている[5]．以上より，ベンゾジアゼピン受容体作動薬は，統合失調症の緊張病に対する緊張病症状の改善を認める可能性があるため，統合失調症の緊張病の治療において，その使用を検討することを考慮する．その他の薬剤についての有効性のエビデンスは乏しいため，それらの使用は勧められない．

　統合失調症の緊張病を含むすべての緊張病は，患者のQOLを低下させるのみならず生

命に関わることもある病態であり，早急な対処が必要であるにもかかわらず，治療法についてのエビデンスは十分に存在せず，現在のところ積極的に推奨できる治療法は存在しない．今後，さらに緊張病の病態解明が進められ，その治療法についてのエビデンスが蓄積される必要が望まれる．

参考文献

1) American Psychiatric Association（原著），日本精神神経学会（日本語版用語監修），髙橋三郎，大野　裕（監訳），染矢俊幸，神庭重信，尾崎紀夫，他（訳）：DSM-5 精神疾患の診断・統計マニュアル．医学書院，東京，2014
2) Rogers JP, Pollak TA, Blackman G, et al：Catatonia and the immune system：a review. Lancet Psychiatry 6：620-630, 2019
3) Walther S, Stegmayer K, Wilson JE, et al：Structure and neural mechanisms of catatonia. Lancet Psychiatry 6：610-619, 2019
4) Pelzer AC, van der Heijden FM, den Boer E：Systematic review of catatonia treatment. Neuropsychiatr Dis Treat 14：317-326, 2018
5) Ungvari GS, Gerevich J, Takács R, et al：Schizophrenia with prominent catatonic features：a selective review. Schizophr Res 200：77-84, 2018
6) Lee JW：Neuroleptic-induced catatonia：clinical presentation, response to benzodiazepines, and relationship to neuroleptic malignant syndrome. J Clin Psychopharmacol 30：3-10, 2010
7) Hatta K, Miyakawa K, Ota T, et al：Maximal response to electroconvulsive therapy for the treatment of catatonic symptoms. J ECT 23：233-235, 2007
8) Leroy A, Naudet F, Vaiva G, et al：Is electroconvulsive therapy an evidence-based treatment for catatonia？ A systematic review and meta-analysis. Eur Arch Psychiatry Clin Neurosci 268：675-687, 2018
9) Suzuki K, Awata S, Takano T, et al：Continuation electroconvulsive therapy or relapse prevention in middle-aged and elderly patients with intractable catatonic schizophrenia. Psychiatry Clin Neurosci 59：481-489, 2005
10) Ungvari GS, Chiu HF, Chow LY, et al：Lorazepam for chronic catatonia：a randomized, double-blind, placebo-controlled cross-over study. Psychopharmacology（Berl）142：393-398, 1999
11) Lin CC, Huang TL：Lorazepam-diazepam protocol for catatonia in schizophrenia：a 21-case analysis. Compr Psychiatry 54：1210-1214, 2013

7-3 病的多飲水・水中毒に対して推奨される薬物治療はあるか？

準推奨

　病的多飲水に対する抗精神病薬治療として，第二世代抗精神病薬（second generation antipsychotics：SGAs）が有効である可能性があるため，SGAsによる標準的な薬物療法を適切に行うことが望ましい．病的多飲水が治療抵抗性統合失調症の病態によると考えられる場合には，クロザピンを導入することが望ましい．抗精神病薬以外の向精神薬による薬物治療で望ましいものはない．

解説

　本邦の精神科病院患者の10～20%に多飲水，3～4%に水中毒があると報告されている[1]．欧米でも同等の頻度が報告されている[2]．水中毒によって低ナトリウム血症を合併すると，心不全，意識障害，けいれん，横紋筋融解症，悪性症候群を引き起こし[3]，生命予後を短縮させる[4]．そのため，病的多飲水への対策は臨床的に重要であるが，大規模で前向きな研究は多くない．また，個別の取り組みの報告には，治療環境や行動様式への介入が多く，薬物療法に焦点を当てた報告は少なく，エビデンスレベルも低い．本CQに該当する系統的レビューや無作為化比較試験（randomized controlled trial：RCT）を検索したものの，全体としての十分なエビデンスは得られなかったため，観察研究を含めたハンドサーチにて検索したエビデンスを含めて，準推奨文および解説を作成した．

　病的多飲水に有用な抗精神病薬について，1本の二重盲検のRCT，4本の単群試験，1本の横断研究，3本の症例集積研究，52本の症例報告をまとめた最近の系統的レビュー[5]にて検討を行った．二重盲検のRCTではオランザピンとハロペリドールによる改善に有意差はなかった．2本の単群試験ではクロザピンの効果が示唆されたが，残りの2本の単群試験ではリスペリドンが無効であった．横断研究からは低ナトリウム血症の頻度はFGAs 26.1%に対して，クロザピン3.4%，他のSGAs 4.9%と，SGAsでリスクが低かった．2本の症例集積研究ではクロザピンの効果が示唆されていた．クロザピンによる治療が有効であるという報告が多い．SGAsへの置換が有効であったという報告があるが，その評価は一定ではない．病的多飲水・水中毒は抗精神病薬登場以前から報告されており，統合失調症の精神症状の一部とも考えられうる．したがって，SGAsによる標準的な薬物療法を適切に行うことが望ましい．次に，病的多飲水・水中毒が重篤で治療抵抗性統合失調症の症状によると考えられる場合には，クロザピンの導入を検討することが望ましい．

　次に，病的多飲水に有用な他の向精神薬の薬物治療についての検討を行った．抗生物質

であるdemeclocyclineとオピオイド拮抗薬であるナロキソンの有効性と安全性を検討した2本のごく小規模のプラセボ対照二重盲検RCTが存在するが，いずれも有意な情報は得られていない[6]．アンジオテンシン変換酵素阻害薬，β遮断薬，オピオイド拮抗薬，demeclocycline，カルバマゼピン，リチウムによる治療効果が報告されているが，いずれも症例数が少なく評価も一定ではない[6]．さらに，併用による副作用発現のリスクも明らかでないことから，望ましい薬物治療はないと考えられよう．

参考文献

1) 松田源一：精神分裂病者の多飲行動．臨床精神医学 18：1339-1348, 1989
2) de Leon J：Polydipsia—a study in a long-term psychiatric unit. Eur Arch Psychiatry Clin Neurosci 253：37-39, 2003
3) Goldman MB：The assessment and treatment of water imbalance in patients with psychosis. Clin Schizophr Relat Psychoses 4：115-123, 2010
4) Hawken ER, Crookall JM, Reddick D, et al：Mortality over a 20-year period in patients with primary polydipsia associated with schizophrenia：a retrospective study. Schizophr Res 107：128-133, 2009
5) Kirino S, Sakuma M, Misawa F, et al：Relationship between polydipsia and antipsychotics：a systematic review of clinical studies and case reports. Prog Neuropsychopharmacol Biol Psychiatry 96：109756, 2020
6) Brookes G, Ahmed AG：Pharmacological treatments for psychosis-related polydipsia. Cochrane Database Syst Rev（4）：CD003544, 2006

妊娠中の統合失調症に抗精神病薬は有用か？

準推奨

妊娠中の統合失調症の抗精神病薬治療は，再発と入院を減少させると考えられる．

本人の有害事象および新生児不適応症候群は増加する可能性があるとはいえ，一般に新生児不適応症候群は対症療法のみで治癒することが多いものであり，胎児の有害事象のリスクの増加も認められず，児の神経発達の遅れのリスクも認められないため，抗精神病薬による治療を行うことが望ましい．

解説

　統合失調症患者の妊娠は，本人とその家族，さらにはその担当医療者にもさまざまな心配をもたらす．「妊娠に伴って病状はどう変化するのだろうか？」「妊娠中に抗精神病薬を継続するのは大丈夫なのだろうか？」「胎児への影響はないのだろうか？」の切実な臨床疑問が容易に思い浮かぶ．しかし，実際にそれらに対して臨床研究を試みるべく，その研究デザインを検討しても，質の高いエビデンスが得られる無作為化比較試験（randomized controlled trial：RCT）としての実施は困難である．少ないながら存在する観察研究のエビデンスの質は十分に高いものとはいえない．本 CQ に該当する系統的レビューや RCT を検索したものの，全体としての十分なエビデンスは得られなかったため，観察研究を含めたハンドサーチにて検索したエビデンスを含めて，準推奨文および解説を作成した．なお，『周産期メンタルヘルス コンセンサスガイド 2017』[1]や『産婦人科診療ガイドライン―産科編（2017）』[2]では，患者や家族への説明，薬物療法以外の対応，妊娠糖尿病への対応，他職種との連携などについても言及されているため，参照することが望ましい．

　妊娠中の統合失調症に限定した抗精神病薬治療による母親の再発，母親の入院についての信頼できる研究は存在しないものの，一般に統合失調症においては抗精神病薬治療により再発と入院が減少することが示されており（CQ 2-1→44頁参照），それは妊娠中の統合失調症においても同様と考えることができよう．

　妊娠中の統合失調症に対する抗精神病薬治療におけるすべての有害事象についての検索を行うと，統合失調症患者に限定した研究はなく，妊娠中の抗精神病薬曝露による妊娠糖尿病の発症に関する研究が主であったため，これについての検討を行った．英国国立医療技術評価機構（National Institute for Health and Care Excellence：NICE）による『NICE ガイドライン 2018』でのメタ解析〔N（研究数）＝3，抗精神病薬曝露群 n（患者数）＝1,397，非曝露群 n＝1,316,979〕では，抗精神病薬投与は妊娠糖尿病のリスク増加と有意な関連が認められたも

のの（オッズ比 2.32, 95% 信頼区間 1.53～3.52），統合失調症に限定したメタ解析はなかった[3]．『NICE ガイドライン 2018』以降，文献検索を行った時点までに発表された 2 つの研究では，第二世代抗精神病薬（second generation antipsychotics：SGAs）に対する曝露は妊娠糖尿病発症と関連していなかった[4,5]．薬剤ごとの研究では，アリピプラゾールやリスペリドンでは妊娠糖尿病のリスク増加は認められなかったものの[6,7]，オランザピン（リスク比 1.61, 95% 信頼区間 1.13～2.29）やクエチアピン（リスク比 1.28, 95% 信頼区間 1.01～1.62）では認められた[7]．以上を踏まえると，抗精神病薬の使用により妊娠糖尿病が増える可能性がある．

　新生児不適応症候群は，妊娠中に妊婦が服用した薬剤が胎盤を通って胎児に移行し，出生後の新生児に振戦，嗜眠，筋緊張の低下や亢進，けいれん，振戦，易刺激性，呼吸異常，下痢，嘔吐，哺乳不良などが生じる症候群である．新生児不適応症候群について統合失調症患者および精神疾患患者の抗精神病薬服用の有無について検討した研究はなかった．抗精神病薬曝露群において非曝露群と比較して新生児不適応症候群が多い可能性を示唆する研究はあるが，この研究では他の向精神薬を含めた多剤併用群においては多い可能性が示唆されたが，抗精神病薬単剤治療群では非曝露群との違いは認められなかった[8]．一般に新生児不適応症候群は対症療法のみで治癒することが多いものである．そのため，担当医療者は妊婦が服薬していることを分娩施設に周知し，それを受けた分娩施設は出産後の新生児の状態について注意深く経過観察することで適切な対応となる．以上より，予防のために抗精神病薬を中止する必要はないと考えられる．胎児の有害事象の 1 つである先天奇形について，一般的な発生率は文献により異なり 3～5％ 程度とされている[2]．妊娠中の抗精神病薬曝露（統合失調症に限った研究ではない）と先天奇形のリスクの関係については，妊娠初期に第一世代抗精神病薬（first generation antipsychotics：FGAs）や SGAs に曝露されても，非曝露の妊娠と比較して先天大奇形および心奇形のリスク増加は認められなかった[9]．妊婦が抗精神病薬に曝露されても在胎週数に比して小さい児の割合は変わることがなく[3]，早産のリスクも違いは認められなかった[3,5]とされている．以上を踏まえると，妊娠中の統合失調症について，抗精神病薬により先天大奇形，在胎週数に比して小さい児，早産などの胎児の有害事象のリスクの増加が認められるとはいえないと考えられた．妊娠中の統合失調症における抗精神病薬使用が児の神経発達に与える影響に関しては，抗精神病薬曝露群（n=76）と非曝露群（n=76）で生後 52 週時の発達検査の平均スコアや発達遅延率には統計学的有意差はみられなかったとする報告がある[10]．

　以上より，妊娠中の統合失調症には抗精神病薬による治療を行うことが望ましい．

参考文献

1) 日本周産期メンタルヘルス学会：周産期メンタルヘルス コンセンサスガイド 2017
http://pmhguideline.com/
2) 日本産科婦人科学会，日本産婦人科医会（編・監）：産婦人科診療ガイドライン—産科編 2017．日本産科婦人科学会事務局，東京，2017

3) National Collaborating Centre for Mental Health Royal College of Psychiatrists' Research and Training：Antenatal and Postnatal Mental Health：the Nice Guideline on Clinical Management and Service Guidance, Updated Edition. The British Psychological Society and The Royal College of Psychiatrists, London, 2018
4) Panchaud A, Hernandez-Diaz S, Freeman MP, et al：Use of atypical antipsychotics in pregnancy and maternal gestational diabetes. J Psychiatr Res 95：84-90, 2017
5) Vigod SN, Gomes T, Wilton AS, et al：Antipsychotic drug use in pregnancy：high dimensional, propensity matched, population based cohort study. BMJ 350：h2298, 2015
6) Bellet F, Beyens MN, Bernard N, et al：Exposure to aripiprazole during embryogenesis：a prospective multicenter cohort study. Pharmacoepidemiol Drug Saf 24：368-380, 2015
7) Park Y, Hernandez-Diaz S, Bateman BT, et al：Continuation of atypical antipsychotic medication during early pregnancy and the risk of gestational diabetes. Am J Psychiatry 175：564-574, 2018
8) Sadowski A, Todorow M, Brojeni PY, et al：Pregnancy outcomes following maternal exposure to second-generation antipsychotics given with other psychotropic drugs：a cohort study. BMJ Open 3：e003062, 2013
9) Huybrechts KF, Hernández-Díaz S, Patorno E, et al：Antipsychotic use in pregnancy and the risk for congenital malformations. JAMA Psychiatry 73：938-946, 2016
10) Peng M, Gao K, Ding Y, et al：Effects of prenatal exposure to atypical antipsychotics on postnatal development and growth of infants：a case-controlled, prospective study. Psychopharmacology（Berl）228：577-584, 2013

CQ 7-4　補記： 統合失調症が妊娠に与える影響

本 CQ では，抗精神病薬が妊娠に与える影響について述べたが，統合失調症そのものが妊娠に与える影響については，次のようなことが知られている．

1 偶発的な妊娠

González-Rodríguez らは，統合失調症患者は不特定の相手と性的な関係を持ちやすいこと，避妊をしない傾向にあること，それらにより望まない妊娠を経験するリスクがあることを指摘している[1]．医療者の立場として，妊娠の可能性のある年齢にいる統合失調症患者は予期せぬ妊娠であったり望まない妊娠に至ったりする可能性が多分にあるということを念頭におく必要がある．

2 不適切な妊娠管理

統合失調症患者は妊婦健診の受診率が低下することが報告されている[2]．実際に，臨床現場でも，妊娠後期になってから産婦人科を受診したり，一度受診してもその後，健診が不定期になったりすることを経験する．統合失調症患者の場合，妊婦健診に定期的に来ることができるように，精神科医，産婦人科医が助産師や地域の保健師とよく連携することが重要である．さまざまな課題を抱えている場合は特定妊婦[*1]として，要保護児童対策地域協議会[*2]を通じてサポートする場合もある．

3 産科的合併症のリスクの増加

統合失調症を合併していると，妊娠高血圧，胎児発育不全，早産，低出生体重児，出産直後の新生児の健康状態を表すアプガースコアの低下，先天性欠損，新生児での死亡や乳幼児突然死症候群などのリスクが高まることが報告されている[3]．Matevosyan[4] はメタ解

[*1] 特定妊婦
　特定妊婦とは，児童福祉法第 6 条の 3，第 5 項に「出産後の養育について出産前において支援を行うことが特に必要と認められる妊婦」と定義されている．妊娠中からハイリスク要因を特定できる妊婦であり，具体的には，経済的問題，家族構成が複雑，知的・精神障害などで育児困難が予測される場合などがある．特定妊婦は，要保護児童対策地域協議会の支援対象者である．

[*2] 要保護児童対策地域協議会
　要保護児童対策地域協議会（要対協と略される）は，児童福祉法第 25 条の 2 に以下のように規定されている．「地方公共団体は，単独で又は共同して，要保護児童の適切な保護又は要支援児童若しくは特定妊婦への適切な支援を図るため，関係機関，関係団体及び児童の福祉に関連する職務に従事する者その他の関係者により構成される要保護児童対策地域協議会を置くように努めなければならない」．特定妊婦に対し，要対協を開催することで市町村保健センター，医療機関，保健所などが連携し，対象の妊婦にどのようなサポートができるかを協議することができる．

析により，これらのリスクは，高齢での出産，妊娠期の喫煙，妊婦健診にあまり行かないことなどで高まることを見出している．つまり，その疾患を抱えることによる行動特性（禁煙できない，妊婦健診などに積極的に行かないなど）が産科的合併症に影響を及ぼしている可能性がある．これらを考慮すると，統合失調症患者が妊娠した場合，喫煙しているかを確認すること，そして，妊婦健診を定期的に受けることができるようにフォローアップすることは産科的合併症を減らすために有用な可能性がある．

参考文献

1) González-Rodríguez A, Guàrdia A, Pedrero AÁ, et al：Women with schizophrenia over the life span：health promotion, treatment and outcomes. Int J Environ Res Public Health 17：1-13, 2020
2) Howard LM：Fertility and pregnancy in women with psychotic disorders. Eur J Obstet Gynecol Reprod Biol 119：3-10, 2005
3) Jablensky AV, Morgan V, Zubrick SR, et al：Pregnancy, delivery, and neonatal complications in a population cohort of women with schizophrenia and major affective disorders. Am J Psychiatry 162：79-91, 2005
4) Matevosyan NR：Pregnancy and postpartum specifics in women with schizophrenia：a meta-study. Arch Gynecol Obstet 283：141-147, 2011

CQ 7-5 産後（授乳婦を含む）の統合失調症の女性に抗精神病薬は有用か？

準推奨

産後（授乳婦を含む）の統合失調症の女性における抗精神病薬治療は再発と入院を減少させると考えられる．抗精神病薬を服用しながら母乳を与えた場合でも，児への影響が起こる可能性は低いと考えられる．そのため，産後（授乳婦を含む）の統合失調症の女性に抗精神病薬による治療を行うことが望ましい．

解説

統合失調症患者の出産後に，当事者，家族，その担当医療者がまず心配することは，「授乳はできるのだろうか？」である．現場では，授乳したいという当事者の気持ちが非常に強くなり，新生児への影響を心配して内服を中断し再発をきたしてしまったり，「薬を飲んでいるなら授乳してはいけない」と言われ，不本意ながら授乳をあきらめたりなど，さまざまな状況に遭遇する．しかしながら，この臨床疑問に対して無作為化比較試験（randomized controlled trial：RCT）を実施することは困難であり，入手できる観察研究においても十分なエビデンスのものは少なく，現状では評価が難しい臨床疑問にとどまっている．本 CQ に該当する系統的レビューや RCT を検索したものの，全体としての十分なエビデンスは得られなかったため，観察研究を含めたハンドサーチにて検索したエビデンスを含めて，準推奨文および解説を作成した．なお，日本周産期メンタルヘルス学会による『周産期メンタルヘルス コンセンサスガイド 2017』[1] では，患者や家族への説明，薬物療法以外の対応，他職種との連携などについても言及しているため，本 CQ を利用するにあたってはこのガイドも参照することが望ましい．

妊娠中の統合失調症に限定した抗精神病薬治療による母親の再発と母親の入院についての信頼できる研究は存在しないものの，統合失調症においては抗精神病薬治療による再発と入院が減少することが示されている（CQ 2-1 → 44 頁参照）．

抗精神病薬は母乳中へ分泌されるため，児は母乳を通じて薬物を摂取することになる．母乳を通じて乳児が摂取する薬剤量に関する指標として，相対的乳児投与量がある．これは，当該薬物の乳児に対する投与常用量（mg/kg/日）に対する，乳児が母乳を通じて摂取する総薬物量（mg/kg/日）の割合（%）である．なお，乳児への投与常用量が決まっていないときは，母親の体重あたりの治療量で代用する．『産婦人科診療ガイドライン—産科編』では，「薬物の種類にもよるが相対的乳児投与量が 10% をはるかに下回る場合には，児

への影響は少ないと見積もられる．一方，相対的乳児投与量が10％を大きく超える場合には，相当の注意が必要である」とされている[2]．

第二世代抗精神病薬（second generation antipsychotics：SGAs）と母乳栄養に関してのレビューでは，オランザピンの相対的乳児投与量は約1.6％，クエチアピンは1％未満，リスペリドンは約3.6％であることが報告されている．アリピプラゾールは症例が少ないこともあり，0.7〜8.3％と幅があるが，いずれも10％には満たない[3]．また，児への重大な副作用は報告されていないことから，抗精神病薬の内服と授乳は両立できると考えられている．『周産期メンタルヘルス コンセンサスガイド 2017』においても，「母親が母乳育児を強く希望し，児の排泄・代謝機能が十分な場合，精神障害の治療に用いられる薬剤の大半において授乳を積極的に中止する必要はない」となっている[1]．しかし，児の傾眠傾向やイライラ，体重増加不良といった症例報告はよくみられるため，抗精神病薬を内服している母親が児に母乳を与える場合には，飲み具合，眠り方，機嫌，体重増加などに注意することを説明し，これらに異常が認められた場合には担当医療者に報告するように指導する．産後の統合失調症の女性が抗精神病薬を服用した場合に，児の健康が向上するか，児の発達の遅れが増加するか，母親の虐待が減少するか，母性が向上するかについて，これらを調べた研究をみつけることができなかった．しかし，上述の通りSGAsと母乳栄養に関しては，どの薬剤においても相対的乳児投与量は10％に満たず，児への重大な副作用の報告はないため，児への影響が起こる可能性は低いと考えられる．

統合失調症の再発による当事者およびその育児に対する影響は大きいと考えられ，抗精神病薬を服用しながら母乳を与えた場合でも，児への影響が起こる可能性は低いと考えられるため，産後（授乳婦を含む）の統合失調症の女性に抗精神病薬による治療を行うことが望ましい．

参考文献
1) 日本周産期メンタルヘルス学会：周産期メンタルヘルス コンセンサスガイド 2017
 http://pmhguideline.com/
2) 日本産科婦人科学会，日本産婦人科医会（編・監）：産婦人科診療ガイドライン―産科編 2017．日本産科婦人科学会事務局，東京，2017
3) Uguz F：Second-generation antipsychotics during the lactation period：a comparative systematic review on infant safety. J Clin Psychopharmacol 36：244-252, 2016

CQ 7-6 初回エピソード精神病に抗精神病薬治療は有用か？

準推奨

初回エピソード精神病患者の急性期に抗精神病薬治療を行うと，80％以上の患者の精神症状が改善する．よって，初回エピソード精神病患者の急性期治療において，抗精神病薬治療が望ましい．なお，精神症状全般の改善とすべての理由による治療中断の減少について，抗精神病薬間の違いは明確ではない．

抗精神病薬治療後に寛解・安定した初回エピソード精神病患者に関して，抗精神病薬の中止による再発リスクは2か月以上2年になるまで高いが，すべての理由による治療中断率，精神症状，生活の質（quality of life：QOL）について，抗精神病薬の中止と継続の間に違いはない．再入院率は5年以上にわたって中止した方が高く，初回入院の退院直後および1年未満に抗精神病薬を中止した場合，死亡は増加する．以上より，寛解・安定した初回エピソード精神病患者に対し，少なくとも2年は抗精神病薬維持療法を継続することが望ましいが，中止しても再発しない患者が少なからず存在することから，その中止の是非については，患者と医師の共同意思決定（shared decision making：SDM）によってなされることが望ましい．

解説

　初回エピソード精神病は，幻覚，妄想，興奮，昏迷，緊張病症状などの精神症状や著しい行動障害を初めて呈した状態である．初回エピソード精神病に関する臨床研究では，統合失調症，統合失調感情障害，妄想性障害，統合失調症様障害，短期精神病性障害などを鑑別することなく，まとめて初回エピソード精神病として組み入れているという問題があったが，それというのも，実臨床の場面では上記疾患の鑑別が困難なことは少なくなく，急性期においてはその精神症状の重症度ゆえに何らかの介入をせざるを得ないことが多く，それゆえにそうした問題が生じていたと理解することができる．さらに，初回エピソード精神病に関する臨床研究を困難にする側面として，初回エピソード精神病に対する抗精神病薬の継続投与の是非に関する問題がある．というのは，抗精神病薬治療により寛解・安定した統合失調症，その他の精神疾患の診断を満たす症状が認められていない患者に対して，抗精神病薬を継続的に投与することには賛否があるからである．なぜなら，統合失調症であれば抗精神病薬治療の継続が必要であろうが，統合失調症ではない場合には抗精神病薬治療の継続は必須とは言えないからであり，その継続が時に患者およびその家族に安全性の懸念や経済的負担を強いるからである．

　実際，初回エピソード精神病についての文献を検索すると，そうした実臨床の状況を反

映してか，急性期では抗精神病薬とプラセボを比較した無作為化比較試験（randomized controlled trial：RCT）はなく，抗精神病薬同士の比較研究のみが存在するに過ぎない．抗精神病薬治療により寛解・安定した初回エピソード精神病患者に対しては抗精神病薬継続とプラセボを比較したRCTが存在するという状況になっていることが確認された．よって，本CQに該当する系統的レビューやRCTを検索したものの，全体としての十分なエビデンスは得られなかったため，観察研究を含めたハンドサーチにて検索したエビデンスを含めて，準推奨文および解説を作成した．

シングルグループメタ解析によると81.3%の初回エピソード精神病患者は，精神症状が抗精神病薬治療によりベースラインから改善している[1]〔N（研究数）=17，n（患者数）=3,156〕．なお直接比較はできないが，この治療反応率は統合失調症における反応率[2]（51%）に比べて高い可能性がある．初回エピソード精神病患者の急性期治療に関し，12種類の抗精神病薬の有効性と忍容性を検討したネットワークメタ解析がなされている[3]（N=19，n=2,669）．本邦承認済みの薬剤について記すと，精神症状全般の改善に関して，オランザピンおよびリスペリドンはハロペリドールよりも優れており，他の薬剤間では有意差は認めなかった．すべての理由による治療中断率に関して，アリピプラゾール，クエチアピン，リスペリドン，オランザピンはハロペリドールよりも優れていたが，他の薬剤間では有意差は認めなかった．よって，抗精神病薬治療が望ましく，第二世代抗精神病薬の一部についてはハロペリドールより望ましい可能性がある．

抗精神病薬治療後に寛解・安定した初回エピソード精神病患者に対する抗精神病薬治療の維持群と中止群の再発率を比較したRCTのメタ解析[4]（N=10，n=739）によると，抗精神病薬を中止してから12か月が経過した群は，その期間に抗精神病薬を維持していた群と比較して再発率が高かった〔中止群54.3%，維持群24.0%，治療効果発現必要症例数=3〕．サブグループ解析では，抗精神病薬の中止から2か月が経過した時点から，少なくとも中止期間が2年（24か月）になるまで，その再発率の差は統計学的有意差を認めた〔2か月：中止群13.0%，維持群5.8%，治療効果発現必要症例数=13；18～24か月：中止群60.6%，維持群34.6%，治療効果発現必要症例数=4〕．以上により，寛解・安定した初回エピソード精神病患者に対して，抗精神病薬を2か月以上中止すると，再発リスクが有意に高くなり，そのリスクの差は少なくとも中止期間が2年（24か月）になるまで一貫している．初回エピソード精神病患者のすべての理由による治療中断率（N=7，n=636）や精神症状の悪化およびQOLの悪化について（N=2，n=175），抗精神病薬治療中止群と維持群の間で有意差は認めなかった[4]．

フィンランドで行われた初回エピソード精神病患者を対象とした20年間のコホート研究（n=8,719）は，5つの薬剤中止期間に分けて，抗精神病薬の維持群と抗精神病薬の中止群の間で再入院率を比較している[5]．それぞれの期間における再入院率は，①初回入院の退院直後からの抗精神病薬の中止群：51.4%，維持群：32.7%．②1年未満の抗精神病薬の中止群：41.2%，維持群：28.9%．③1～2年未満の中止群：31.0%，維持群：28.9%．④2～5年未満の中止群：27.7%，維持群：23.4%．⑤5年以上（平均7.9年）の中止群：

24.1％，維持群：19.7％であった．抗精神病薬の維持群と比べて抗精神病薬の中止群はすべての期間において再入院率が高く，統計学的有意差を認めた．死亡率は抗精神病薬の維持群（1.5％）に比べて，初回入院の退院直後から抗精神病薬を中止した群（4.8％）と1年未満で抗精神病薬を中止した群（2.6％）において高く，統計学的有意差を認めた．一方で，1～2年未満の死亡率は中止群1.1％，維持群3.9％，2～5年未満の死亡率は中止群1.5％，維持群2.9％，5年以上（平均7.9年）の死亡率は中止群1.5％，維持群0％であった．これらの期間については，死亡数が少なく統計学的な解析はされていない．

　寛解・安定した初回エピソード精神病患者においては，抗精神病薬の中止は継続と比較して，少なくとも2～5年間にわたり再発率・再入院率・死亡率を高め，治療中断率・精神症状・QOLには違いがないため，平均的な患者に対する期待値としては少なくとも2年間は継続することが望ましいと考えられる．ここで，12か月間抗精神病薬を中止した患者の45.7％（中止しない場合は76.0％），18～24か月間抗精神病薬を中止した患者の39.4％（中止しない場合は65.4％）は再発を経験しなかったことにも留意したい．これは，本研究の対象患者には，長期間の抗精神病薬療法が必要な統合失調症のみならず，比較的短期間で症状が消失する統合失調症様障害，短期精神病性障害などの疾患が含まれているためであると考えられるところである．しかしながら，現在，これらの患者を鑑別する臨床的手段もバイオマーカーも，臨床医は持ちあわせていない．したがって，臨床医は統合失調症，その他の精神疾患について，可能な範囲で鑑別診断をするように努め，診断が確定された時点で，その診断に基づいた最良の治療方針を検討するべきであろう．なお，以上の配慮を最大限試みても診断の確定が困難な患者については，どのように対処すべきであろうか．これに対する明確な答えは，本ガイドラインでは示すことはできないが，抗精神病薬の中止をすることで再発する患者が多い一方，少なくない患者が再発せず，病気を持たない人生を歩むことができる可能性もあることを踏まえて，治療方針は患者と医師とで本CQの内容を共有した上でSDMをするべきであろう．

参考文献

1) Zhu Y, Li C, Huhn M, et al：How well do patients with a first episode of schizophrenia respond to antipsychotics：a systematic review and meta-analysis. Eur Neuropsychopharmacol 27：835-844, 2017
2) Leucht S, Leucht C, Huhn M, et al：Sixty years of placebo-controlled antipsychotic drug trials in acute schizophrenia：systematic review, Bayesian meta-analysis, and meta-regression of efficacy predictors. Am J Psychiatry 174：927-942, 2017
3) Zhu Y, Krause M, Huhn M, et al：Antipsychotic drugs for the acute treatment of patients with a first episode of schizophrenia：a systematic review with pairwise and network meta-analyses. Lancet Psychiatry 4：694-705, 2017
4) Kishi T, Ikuta T, Matsui Y, et al：Effect of discontinuation v. maintenance of antipsychotic medication on relapse rates in patients with remitted/stable first-episode psychosis：a meta-analysis. Psychol Med 49：772-779, 2019
5) Tiihonen J, Tanskanen A, Taipale H：20-year nationwide follow-up study on discontinuation of antipsychotic treatment in first-episode schizophrenia. Am J Psychiatry 175：765-773, 2018

CQ 7-6 補記： 初回エピソード精神病

　初回エピソード精神病は，幻覚，妄想，興奮などの精神病症状が初めて出現した状態を指す臨床的に重要な概念である［図1］．精神病症状を経験したとしても，その後に統合失調症に移行するとは限らず，経過によって異なった診断に至る患者の集団である．他の精神疾患と同じく，器質および身体疾患の鑑別は慎重に行う必要がある．臨床研究では初回エピソード精神病をまとめて研究に組み入れていることが多い[1]．

　治療および支援は包括的に行われる．まずは早期発見により包括的な支援につなげることが重要であり，支援の柱は，家族や本人の心理教育（再発予防を含む），心理的なサポート，不適切な物質使用を減らすこと，抗精神病薬による薬物療法，就労や就学への支援などになる[2]．その後の経過によっては薬物療法の継続は必須とは限らない．治療方針の決

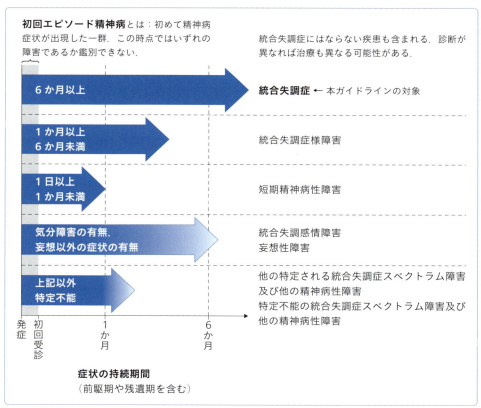

注：ICD-11では急速に精神症状態に進展する急性一過性精神症の診断がある．
図1　DSM-5[3]における統合失調症スペクトラム障害および他の精神病性障害群の診断分類
（EGUIDE*プロジェクト講習会の資料をもとに改変して転載）

*Effectiveness of GUIdeline for Dissemination and Education in psychiatric treatment；精神科医療の普及と教育に対するガイドラインの効果に関する研究

定においては患者との共同意思決定が重要である．なお，症状の持続に伴い統合失調症と診断された後には，統合失調症の治療を行う．

参考文献

1) Correll CU, Galling B, Pawar A, et al：Comparison of early intervention services vs treatment as usual for early-phase psychosis：a systematic review, meta-analysis, and meta-regression. JAMA Psychiatry 75：555-565, 2018
2) Fusar-Poli P, McGorry PD, Kane JM：Improving outcomes of first-episode psychosis：an overview. World Psychiatry 16：251-265, 2017
3) American Psychiatric Association：DSM-5™ Diagnostic and Statistical Manual of Mental Disorders, 5th edition. American Psychiatric Publishing, Arlington, 2013

統合失調症薬物治療ガイドライン 2022 作成メンバーの役割

　ガイドライン統括委員会は，共同代表と日本神経精神薬理学会と日本臨床精神神経薬理学会を代表する委員若干名により構成され，本ガイドライン作成の目的を明確化し，組織体制の構築を行い，ガイドライン作成，公開，普及を主導する役割を担った．

　ガイドライン作成委員会は，日本神経精神薬理学会と日本臨床精神神経薬理学会に所属するガイドライン作成に関する経験が豊富な精神科医が委員を務めた．当事者・家族・支援者・関連学会・協会の委員は，外部委員という形ではなく，ガイドライン作成委員会委員として議論に加わって評価を行い，双方向性に本ガイドラインの作成に参加した．精神科医の委員のうち十数名は各システマティックレビューチームのリーダー・副リーダーを兼任し，システマティックレビューチームとガイドライン作成委員会との橋渡しをする役割を務めた．

　システマティックレビューチームはガイドライン作成委員としての協議に加えて，系統的レビューを担当した．残りの精神科医の委員は，ブラッシュアップチームを構成し，各システマティックレビューチームのリーダー・副リーダーと当事者・家族・支援者・関連学会・協会の委員の意見の調整を行って全体の統一性を持たせる役割を担った．

ガイドライン統括委員会委員

伊豫　雅臣	千葉大学大学院医学研究院精神医学
大森　哲郎	社会医療法人あいざと会藍里病院
久住　一郎	北海道大学大学院医学研究院精神医学教室
染矢　俊幸	新潟大学大学院医歯学総合研究科精神医学分野
中込　和幸	国立精神・神経医療研究センター

ガイドライン作成委員会委員

相沢　隆司	横浜ピアスタッフ協会/地域活動支援センターすぺーす海
新井　誠	東京都医学総合研究所精神行動医学研究分野統合失調症プロジェクト
伊賀　淳一	愛媛大学大学院医学系研究科精神神経科学講座
五十嵐　中	横浜市立大学医学群健康社会医学ユニット
池淵　恵美	帝京平成大学大学院臨床心理学研究科
市橋　香代	東京大学医学部附属病院精神神経科
稲垣　中	青山学院大学教育人間科学部/保健管理センター
稲田　健	北里大学医学部精神科学

稲見　聡	医療法人報徳会宇都宮病院総合支援課
岡田久実子	全国精神保健福祉会連合会（みんなねっと）
小田　陽彦	兵庫県立ひょうごこころの医療センター
蔭山　正子	大阪大学高等共創研究院
笠井　清登	東京大学大学院医学系研究科精神医学
勝元　榮一	かつもとメンタルクリニック
加藤　玲	東京都新宿区精神障害者家族会「新宿フレンズ」
金沢　徹文	大阪医科薬科大学神経精神医学教室
小鳥居　望	医療法人仁祐会小鳥居諫早病院
小林　正義	信州大学医学部保健学科
佐々木　剛	千葉大学医学部附属病院こどものこころ診療部
佐竹　直子	国立精神・神経医療研究センター病院
佐藤　英樹	国立精神・神経医療研究センター病院
鈴木みずめ	横浜ピアスタッフ協会
諏訪　太朗	京都大学医学部附属病院精神科神経科
高江洲義和	琉球大学大学院医学研究科精神病態医学講座
武市　尚子	東京弁護士会
竹内　啓善	慶應義塾大学医学部精神・神経科学教室
嶽北　佳輝	関西医科大学精神神経科学教室
田近　亜蘭	京都大学大学院医学研究科健康増進・行動学分野
坪井　貴嗣	杏林大学医学部精神神経科学教室
中川　敦夫	慶應義塾大学病院臨床研究推進センター
中越由美子	さいたま市精神障がい者「もくせい家族会」/LINE 家族会「Pure Light」
根本　清貴	筑波大学医学医療系精神医学
橋本　亮太	国立精神・神経医療研究センター精神保健研究所精神疾患病態研究部
畠山　卓也	駒沢女子大学看護学部
福田　正人	群馬大学大学院医学系研究科神経精神医学
藤井　哲也	横浜ピアスタッフ協会
藤野　陽生	大阪大学大学院大阪大学・金沢大学・浜松医科大学・千葉大学・福井大学連合小児発達学研究科
古郡　規雄	獨協医科大学精神神経医学講座
堀　輝	福岡大学医学部精神医学教室
堀合研二郎	横浜ピアスタッフ協会
三浦　至	福島県立医科大学医学部神経精神医学講座
村井　俊哉	京都大学大学院医学研究科脳病態生理学講座（精神医学）
森　隆夫	あいせい紀年病院
山田　悠平	一般社団法人精神障害当事者会ポルケ

渡邉　央美　　　国立成育医療研究センター妊娠と薬情報センター

システマティックレビューチーム委員

飯田　仁志　　　福岡大学医学部精神医学教室
伊賀　淳一　　　愛媛大学大学院医学系研究科精神神経科学講座
池田俊一郎　　　関西医科大学精神神経科学教室
伊藤　侯輝　　　市立札幌病院精神科/精神医療センター
伊藤　賢伸　　　順天堂大学大学院医学研究科精神・行動科学
江角　悟　　　　岡山大学病院薬剤部
大井　一高　　　岐阜大学医学部附属病院精神科
大島　勇人　　　特定医療法人勇愛会大島病院
大矢　一登　　　藤田医科大学医学部精神神経科学講座
越智紳一郎　　　愛媛大学大学院医学系研究科精神神経科学講座
金沢　徹文　　　大阪医科薬科大学神経精神医学教室
菊地　紗耶　　　東北大学病院精神科
岸　太郎　　　　藤田医科大学医学部精神神経科学講座
岸本泰士郎　　　慶應義塾大学医学部ヒルズ未来予防医療・ウェルネス共同研究講座
木村　大　　　　千葉大学大学院医学研究院精神医学/学而会木村病院
小鳥居　望　　　医療法人仁祐会小鳥居諫早病院
佐久間健二　　　藤田医科大学医学部精神神経科学講座
佐々木　剛　　　千葉大学医学部附属病院こどものこころ診療部
佐藤創一郎　　　社会医療法人高見徳風会希望ヶ丘ホスピタル
澤山　恵波　　　北里大学医学部精神科学
鈴木　正泰　　　日本大学医学部精神医学系
鈴木　利人　　　順天堂大学医学部附属越谷病院メンタルクリニック
諏訪　太朗　　　京都大学医学部附属病院精神科神経科
高江洲義和　　　琉球大学大学院医学研究科精神病態医学講座
竹内　啓善　　　慶應義塾大学医学部精神・神経科学教室
嶽北　佳輝　　　関西医科大学精神神経科学教室
竹島　正浩　　　秋田大学大学院医学系研究科精神科学講座
田近　亜蘭　　　京都大学大学院医学研究科健康増進・行動学分野
樽谷精一郎　　　特定医療法人大阪精神医学研究所新阿武山病院
坪井　貴嗣　　　杏林大学医学部精神神経科学教室
冨田　哲　　　　弘前大学医学部附属病院神経科精神科
永井　努　　　　昭和大学薬学部病院薬剤学講座/昭和大学附属烏山病院薬局
沼田　周助　　　徳島大学大学院医歯薬学研究部精神医学分野
根本　清貴　　　筑波大学医学医療系精神医学

野村　郁雄	もりやま総合心療病院
橋本　保彦	神戸学院大学
波多野正和	藤田医科大学医学部臨床薬剤科
菱本　明豊	横浜市立大学大学院医学研究科精神医学部門
堀　　　輝	福岡大学医学部精神医学教室
松井健太郎	国立精神・神経医療研究センター病院臨床検査部
松田　勇紀	東京慈恵会医科大学精神医学講座
三浦　　至	福島県立医科大学医学部神経精神医学講座
村田　篤信	国立精神・神経医療研究センター精神保健研究所精神疾患病態研究部
安田　貴昭	埼玉医科大学総合医療センターメンタルクリニック
山田　浩樹	昭和大学横浜市北部病院メンタルケアセンター
渡邉　央美	国立成育医療研究センター妊娠と薬情報センター

ブラッシュアップチーム委員

市橋　香代	東京大学医学部附属病院精神神経科
稲垣　　中	青山学院大学教育人間科学部/保健管理センター
稲田　　健	北里大学医学部精神科学
佐藤　英樹	国立精神・神経医療研究センター病院
中川　敦夫	慶應義塾大学病院臨床研究推進センター
橋本　亮太	国立精神・神経医療研究センター精神保健研究所精神疾患病態研究部
古郡　規雄	獨協医科大学精神神経医学講座

利益相反情報

　本ガイドライン作成委員会は，作成メンバーが中立性と公平性をもって作成業務を遂行するために，実際または予想されうる問題となる利益相反状態を避けることに最大限の努力を払っている．すべての作成メンバーおよび作成した学会は可能性としてまたは実際に生じる利益相反情報の開示を行う．開示の基準は日本医学会の「診療ガイドライン策定参加資格基準ガイダンス（平成29年3月）」に従い，対象期間を2019年1月1日〜2021年12月31日とした．利益相反状況の有無にかかわらず，共同代表とガイドライン作成メンバーは「統合失調症薬物治療ガイドライン」の内容に関して，科学的及び医学的公正さと妥当性を担保し，統合失調症の診療レベルの向上を旨として作成を行った．

1　個人の利益相反情報

　ガイドライン作成メンバー個人の開示基準及び利益相反情報は以下のとおり．

【開示基準】

A. ガイドライン参加者あるいはその配偶者，1親等親族または収入・財産的利益を共有する者が下記の項目に該当するかどうかの確認
　(1) 企業や営利を目的とした団体の役員，顧問職としての収入（100万円以上/企業/年）
　(2) 株の保有と，その株式からの利益収入（全株式の5%以上/企業あるいは100万円以上/企業/年）
　(3) 企業や営利を目的とした団体からの特許権使用料受領（100万円以上/企業/年）
　(4) 企業や営利を目的とした団体が提供する寄附講座への所属（実質的に使途を決定し得る寄附金で実際に割り当てられた100万円以上のものを記載）

B. ガイドライン参加者の個人COIおよび組織COIの確認
　● 個人COI
　(1) 講演料（企業や営利を目的とした団体より，会議の出席に対し，研究者を拘束した時間・労力に対して支払われた日当など：50万円/企業/年）
　(2) 企業や営利を目的とした団体が作成するパンフレット，座談会記事などの執筆に対して支払った原稿料（50万円/企業/年）
　(3) 研究費（1つの企業・団体から，医学系研究に対して，申告者が実質的に使途を決定し得る研究契約金で実際に割り当てられたもの：100万円/企業/年）

(4) 奨学寄附金（1つの企業・団体から，申告者個人または申告者が所属する講座・分野または研究室に対して，申告者が実質的に使途を決定し得る寄附金で実際に割り当てられたもの：100万円/企業/年）

(5) その他の報酬（研究とは直接に関係しない旅行，贈答品など：5万円/企業/年）

● 組織COI：所属する講座または部門の長が受け入れている場合の金額区分（企業/年）

(6) 研究費（1つの企業・団体が契約に基づいて，医学系研究に対して，当該の長が実質的に使途を決定し得る研究契約金で実際に割り当てられたもの：1000万円/企業/年）

(7) 奨学寄附金（1つの企業・営利団体から，申告者の研究に関連して提供され，所属機関長，病院，学部またはセンター，講座の長が実質的に使途を決定し得る寄附金で実際に割り当てられたもの：200万円/企業/年）

■次の委員は利益相反状況の申告なし：相沢隆司，新井誠，池田俊一郎，池淵恵美，市橋香代，伊藤侯輝，伊藤賢伸，稲田健，稲見聡，江角悟，大島勇人，岡田久実子，小田陽彦，越智紳一郎，蔭山正子，笠井清登，加藤玲，佐竹直子，澤山恵波，鈴木みずめ，諏訪太朗，武市尚子，田近亜蘭，樽谷精一郎，冨田哲，永井努，中川敦夫，中越由美子，沼田周助，野村郁雄，橋本保彦，畠山卓也，波多野正和，福田正人，藤井哲也，藤野陽生，古郡規雄，堀合研二郎，松井健太郎，松田勇紀，村井俊哉，村田篤信，森隆夫，安田貴昭，山田悠平，渡邉央美

■B-2については全員該当なし．

利益相反項目			
A (1) (2) (3) (4)	B (1)	B (3)	B (4) (5) (6) (7)
飯田仁志		MeijiSeika ファルマ株式会社		
伊賀淳一		大塚製薬株式会社，持田製薬株式会社，武田薬品工業株式会社，MeijiSeika ファルマ株式会社，大日本住友製薬株式会社		
五十嵐中	A (1)：ギリアドサイエンシズ株式会社，富士フイルム株式会社，テルモ株式会社，CSLベーリング株式会社，オムニカ株式会社，武田薬品工業株式会社	ノバルティスファーマ株式会社，小野薬品工業株式会社，グラクソ・スミスクライン株式会社，ノボノルディスクファーマ株式会社		B (6)：インチュイティブサージカル合同会社
稲垣 中		IQVIA サービシーズ ジャパン株式会社		
伊豫雅臣		大日本住友製薬株式会社，大塚製薬株式会社		B (7)：大日本住友製薬株式会社
大井一高			田辺三菱製薬株式会社	

	利益相反項目			
	A（1）（2）（3）（4）	B（1）	B（3）	B（4）（5）（6）（7）
大森哲郎		大塚製薬株式会社，武田薬品工業株式会社，大日本住友製薬株式会社		
大矢一登				B（7）：大塚製薬株式会社，大日本住友製薬株式会社
勝元榮一		大日本住友製薬株式会社，大塚製薬株式会社，武田薬品工業株式会社		
金沢徹文		エーザイ株式会社，大塚製薬株式会社，大日本住友製薬株式会社		B（4）：大塚製薬株式会社，エーザイ株式会社
菊地紗耶				B（6）：第一三共株式会社
岸　太郎		大日本住友製薬株式会社，大塚製薬株式会社，ヤンセンファーマ株式会社，Meiji-Seikaファルマ株式会社，エーザイ株式会社，第一三共株式会社，共和薬品工業株式会社，武田薬品工業株式会社		
岸本泰士郎	A（1）：i2medical合同会社，A（3）：フロンテオ，A（4）：森ビル	大日本住友製薬株式会社，ヤンセンファーマ株式会社，	大日本住友製薬株式会社，大塚製薬株式会社，積水ハウス株式会社，JSR株式会社	
木村　大				B（7）：大日本住友製薬株式会社
久住一郎		大塚製薬株式会社，大日本住友製薬株式会社		B（4）：エーザイ株式会社，塩野義製薬株式会社，アステラス製薬株式会社，大塚製薬株式会社，大日本住友製薬株式会社，田辺三菱製薬株式会社
小鳥居望			エーザイ株式会社	
小林正義				B（5）：大日本住友製薬株式会社
佐久間健二				B（7）：大塚製薬株式会社，大日本住友製薬株式会社
佐々木剛				B（7）：大日本住友製薬株式会社
佐藤創一郎		大塚製薬株式会社，大日本住友製薬株式会社		
佐藤英樹			日本ベーリンガーインゲルハイム株式会社，バイオジェン・ジャパン株式会社	
鈴木正泰		エーザイ株式会社，Meiji-Seikaファルマ株式会社，MSD株式会社，ヴィアトリス製薬株式会社，大塚製薬株式会社		

（つづく）

利益相反項目			
	A（1）（2）（3）（4）	B（1）	B（3）	B（4）（5）（6）（7）
鈴木利人		大塚製薬株式会社，大日本住友製薬株式会社		
染矢俊幸		大塚製薬株式会社，大日本住友製薬株式会社，ヤンセンファーマ株式会社		B（4）：大塚製薬株式会社，塩野義製薬株式会社，大日本住友製薬株式会社，持田製薬株式会社
高江洲義和		エーザイ株式会社，MSD株式会社，武田薬品工業株式会社，大塚製薬株式会社，大日本住友製薬株式会社		
竹内啓善		大塚製薬株式会社，大日本住友製薬株式会社，ヤンセンファーマ株式会社		
嶽北佳輝	A（1）：大日本住友製薬株式会社			
竹島正浩		第一三共株式会社		
坪井貴嗣		ヴィアトリス製薬株式会社，大日本住友製薬株式会社，武田薬品工業株式会社		
中込和幸		大日本住友製薬株式会社，大塚製薬株式会社	日本ベーリンガーインゲルハイム株式会社，ヤンセンファーマ株式会社，大塚製薬株式会社，持田製薬株式会社，大日本住友製薬株式会社	B（5）：大日本住友製薬株式会社，大塚製薬株式会社
根本清貴		大塚製薬株式会社，日本イーライリリー株式会社	BHQ株式会社	
橋本亮太			大塚製薬株式会社，武田薬品工業株式会社，日本たばこ産業株式会社	
菱本明豊		大日本住友製薬株式会社，大塚製薬株式会社，エーザイ株式会社，MeijiSeikaファルマ株式会社		B（4）：大日本住友製薬株式会社，エーザイ株式会社
堀　輝		日本イーライリリー株式会社，大日本住友製薬株式会社，大塚製薬株式会社，ヤンセンファーマ株式会社，武田薬品工業株式会社		
三浦　至		大日本住友製薬株式会社，大塚製薬株式会社		B（7）：一般財団法人新田目病院
山田浩樹		大塚製薬株式会社，大日本住友製薬株式会社，ヤンセンファーマ株式会社，Meiji-Seikaファルマ株式会社		

「診療ガイドライン策定参加資格基準ガイダンス（平成29年3月）」に従って，利益相反状況のある以下の5名の委員については，本ガイドラインを作成するうえで必要不可欠の人材であり，その判断と措置の公正性及び透明性を明確に担保して本ガイドライン策定

プロセスに参加したが，社会に対する説明責任を果たすべく本ガイドライン策定にかかる最終決定権を持たせない措置を行った．

五十嵐中，伊豫雅臣，岸本泰士郎，中込和幸，根本清貴

2 組織の利益相反情報

ガイドライン作成を行った日本神経精神薬理学会と日本臨床精神神経薬理学会の組織としての利益相反情報は以下の通り．

一般社団法人日本神経精神薬理学会の事業活動における資金提供を受けた企業の記載
■ 2019年1月1日～2021年12月31日

①「統合失調症薬物治療ガイドライン」の作成に関連して，資金を提供した企業名	
なし	
②日本神経精神薬理学会の事業活動（「統合失調症薬物治療ガイドライン」の作成以外）に関連して，資金（寄付金など）を提供した企業名	
1）共催セミナーなど	
・アステラス製薬株式会社	・東洋紡株式会社
・エーザイ株式会社	・日本イーライリリー株式会社
・MSD株式会社	・日本新薬株式会社
・大塚製薬株式会社	・日本たばこ産業株式会社
・小原医科産業株式会社	・日本チャールス・リバー株式会社
・カクタス・コミュニケーションズ株式会社	・ノバルティスファーマ株式会社
・株式会社ガリバー	・ファイザー株式会社
・株式会社九州神陵文庫	・フィリップモリスジャパン合同会社
・株式会社ヤクルト本社中央研究所	・富士フイルム和光純薬株式会社
・共和薬品工業株式会社	・ブリティッシュ・アメリカン・タバコ・ジャパン
・塩野義製薬株式会社	・室町機械株式会社
・センチュリーメディカル株式会社	・Meiji Seika ファルマ株式会社
・第一三共株式会社	・持田製薬株式会社
・大日本住友製薬株式会社	・ヤンセンファーマ株式会社
・武田薬品工業株式会社	・ユーシービージャパン株式会社
・田辺三菱製薬株式会社	・吉富薬品株式会社
・中外製薬株式会社	・ルンドベック・ジャパン株式会社
・帝人ファーマ株式会社	
2）法人会員会費	
・アステラス製薬株式会社	・武田薬品工業株式会社
・アッヴィ合同会社	・中外製薬株式会社
・アルフレッサファーマ株式会社	・日本イーライリリー株式会社
・MSD株式会社	・日本ケミファ株式会社
・大塚製薬株式会社	・富士フイルム和光純薬株式会社
・塩野義製薬株式会社	・Meiji Seika ファルマ株式会社
・セオリアファーマ株式会社	・ヤンセンファーマ株式会社
・大日本住友製薬株式会社	・ルンドベック・ジャパン株式会社
3）広告	
・アッヴィ合同会社	・中外製薬株式会社
・ヴィアトリス製薬株式会社	・帝國製薬株式会社
・エーザイ株式会社	・ナカライテスク株式会社
・MSD株式会社	・ニプロ株式会社
・大塚製薬株式会社	・日本イーライリリー株式会社

（つづく）

②日本神経精神薬理学会の事業活動（「統合失調症薬物治療ガイドライン」の作成以外）に関連して，資金（寄付金など）を提供した企業名	
3）広告	
・小原医科産業株式会社 ・カクタス・コミュニケーションズ株式会社 ・株式会社オノデラコーポレーション ・株式会社じほう ・株式会社白松がモナカ本舗 ・株式会社セイミ ・株式会社仙台放送 ・共和薬品工業株式会社 ・公益社団法人宮城県物産店復興協会 ・塩野義製薬株式会社 ・生命科学連携推進協議会 ・大日本住友製薬株式会社 ・太陽化学株式会社	・日本チャールス・リバー株式会社 ・ノーベルファーマ株式会社 ・バイオリサーチセンター株式会社 ・ファイザー株式会社 ・Bentham Science Publishers ・丸善雄松堂株式会社 ・Meiji Seika ファルマ株式会社 ・持田製薬株式会社 ・ヤンセンファーマ株式会社 ・ユーシービージャパン株式会社 ・吉富薬品株式会社 ・ルンドベック・ジャパン株式会社 ・ワイリー・パブリッシング・ジャパン
4）著作権使用料（印税）	
・アルタ出版株式会社 ・株式会社医学書院 ・株式会社サンメディア	・株式会社じほう ・株式会社ビオメディクス ・John Wiley & Sons Australia Ltd
5）寄付など	
・株式会社池田理化 ・株式会社南部医理科 ・東レ株式会社 ・ナカライテスク株式会社 ・日本イーライリリー株式会社	・日本ケミファ株式会社 ・日本製薬団体連合会 ・日本たばこ産業株式会社 ・ヤンセンファーマ株式会社

一般社団法人日本臨床精神神経薬理学会の事業活動における資金提供を受けた企業を記載
■ 2019 年 1 月 1 日～2021 年 12 月 31 日

①「統合失調症薬物治療ガイドライン」の作成に関連して，資金を提供した企業名	
なし	
②日本臨床精神神経薬理学会の事業活動（「統合失調症薬物治療ガイドライン」の作成以外）に関連して，資金（寄付金など）を提供した企業名	
1）研究助成金（学術賞，留学支援など）	
・大塚製薬株式会社 ・グラクソ・スミスクライン株式会社 ・ヤンセンファーマ株式会社	
2）共催セミナーなど	
・アステラス製薬株式会社 ・ヴィアトリス製薬株式会社 ・エーザイ株式会社 ・MSD 株式会社 ・大塚製薬株式会社 ・株式会社九州神陵文庫 ・株式会社協和企画 ・共和薬品工業株式会社 ・塩野義製薬株式会社 ・センチュリーメディカル株式会社 ・第一三共株式会社 ・大日本住友製薬株式会社 ・武田薬品工業株式会社 ・田辺三菱製薬株式会社 ・中外製薬株式会社 ・帝人ファーマ株式会社	・日本イーライリリー株式会社 ・日本新薬株式会社 ・日本たばこ産業株式会社 ・日本ベーリンガーインゲルハイム株式会社 ・ノバルティスファーマ株式会社 ・ファイザー株式会社 ・フィリップモリスジャパン合同会社 ・富士フイルム和光純薬株式会社 ・ブリティッシュ・アメリカン・タバコ・ジャパン ・室町機械株式会社 ・Meiji Seika ファルマ株式会社 ・持田製薬株式会社 ・ヤンセンファーマ株式会社 ・ユーシービージャパン株式会社 ・吉富薬品株式会社 ・ルンドベック・ジャパン株式会社

②日本臨床精神神経薬理学会の事業活動（「統合失調症薬物治療ガイドライン」の作成以外）に関連して，資金（寄付金など）を提供した企業名	
3）広告	
・アッヴィ合同会社 ・大塚製薬株式会社 ・株式会社ツムラ ・塩野義製薬株式会社 ・大日本住友製薬株式会社 ・武田薬品工業株式会社 ・帝國製薬株式会社 ・ナカライテスク株式会社 ・日本イーライリリー株式会社	・バイオリサーチセンター株式会社 ・ファイザー株式会社 ・Meiji Seika ファルマ株式会社 ・持田製薬株式会社 ・ヤンセンファーマ株式会社 ・ユーシービージャパン株式会社 ・ルンドベック・ジャパン株式会社 ・ワイリー・パブリッシング・ジャパン
4）著作権使用料（印税）	
・株式会社星和書店	
5）寄付など	
・獨協医科大学同窓会 ・日本イーライリリー株式会社 ・日本製薬団体連合会	・日本たばこ産業株式会社 ・ヤンセンファーマ株式会社

　日本神経精神薬理学会と日本臨床精神神経薬理学会に対してガイドライン作成に関連した資金を提供した企業はなく，本ガイドラインの作成以外の事業活動に関連して資金を提供した企業は本ガイドライン策定プロセスに参加していない．よって，日本神経精神薬理学会と日本臨床精神神経薬理学会への資金提供者の見解は本ガイドラインの内容に影響していない．

索引

欧文

A
ACT 16
acute phase 51
attention-deficit/hyperactivity disorder（ADHD）......... 9
autism spectrum disorder（ASD）......... 9

B
blinded 31
Brief Assessment of Cognition in Schizophrenia（BACS）......... 30

C
clinical recovery 12
Cochrane Review 32
cognitive behavioral therapy（CBT）......... 15
cognitive remediation therapy（CRT）......... 15
continuous dosing 50

D
Drug-induced Extrapyramidal Symptoms Scale（DIEPSS）......... 31
DSM-5 5

E・F
electroconvulsive therapy（ECT）......... 78, 113, 117
──，悪性症候群に対する 79
──との併用，クロザピンと 111
──の相対的禁忌 118
extended dosing 48, 50
functional recovery 12

I・L
ICD-10 6
long acting injection（LAI）......... 53, 56

M
maintenance phase 51
masked 31
meta-analysis 30

modified electroconvulsive therapy（mECT）......... 115

N
network meta-analysis 69
neuroleptic-induced catatonia（NIC）......... 150
neuroleptic malignant syndrome（NMS）......... 82
number needed to harm（NNH）......... 30
number needed to treat（NNT）......... 30

P
pairwise meta-analysis 69
patient and public involvement（PPI）......... 20
personal recovery 12
PICO 22
Positive and Negative Syndrome Scale（PANSS）......... 31

Q・R
QT延長症候群 93
randomized controlled trial（RCT）......... 31

S
second generation antipsychotics（SGAs）......... 146
shared decision making（SDM）......... 20, 161
social skills training（SST）......... 15
stabilization phase 51
stable phase 51
standardized mean difference（SMD）......... 31
Surface Under the Cumulative Ranking（SUCRA）......... 69
systematic review 30

T
targeted or intermittent dosing 50
targeted or intermittent strategy 48
treatment-resistant schizophrenia（TRS）......... 103

W
WAIS-Ⅲ 142

和文

あ

- アカシジア ... 61, 66
- 悪性症候群 ... 78, 82
- アドヒアランス ... 13
- 安定化期 ... 51
- 安定期 ... 51
- 安定した統合失調症 ... 44

い

- 維持期 ... 51
- 維持期治療，統合失調症の ... 51, 53
- 著しく異常な精神運動行動 ... 6
- 一酸化炭素中毒による急性期の精神運動興奮 ... 8
- 意欲欠如 ... 6
- イレウス ... 91
- 陰性症状 ... 6, 14

う・え・お

- ウェクスラー知能検査 III ... 142
- エンパワメント ... 16
- オープンラベル試験 ... 31

か

- 解体した言語 ... 6
- 回復 ... 12
- 解離症との鑑別 ... 9
- 家族支援 ... 16
- 家族心理教育 ... 15
- 過眠 ... 133
- 間欠投与（法） ... 48, 50
- 鑑別診断 ... 7

き

- 機能的回復 ... 12
- 気分障害との鑑別 ... 8
- 急性期 ... 51
  - ―― の精神運動興奮，一酸化炭素中毒による ... 8
  - ―― の統合失調症 ... 28
- 急性ジストニア ... 61, 63
- 共同意思決定 ... 20
- 局所性ジストニア ... 75
- 切り替え，抗精神病薬の ... 35
- 緊張病 ... 149

く

- クロザピン治療 ... 100
  - ―― の副作用 ... 106

け

- 継続投与法 ... 50
- 系統的レビュー ... 30
- けいれん ... 108
- 血糖値 ... 88
- 幻覚 ... 6

こ

- 抗NMDA受容体脳炎の初期，若年女性の ... 8
- 抗うつ薬の併用，抗精神病薬と ... 137
- 抗精神病薬
  - ――，クロザピン以外の ... 121
  - ―― の間欠投与法，安定した統合失調症における ... 48
  - ―― の切り替え ... 35
  - ―― の減量，安定した統合失調症における ... 46
  - ―― の増量 ... 34
  - ―― の中止，安定した統合失調症における ... 44
  - ―― の鎮静作用 ... 134
- 抗精神病薬治療 ... 13
  - ――，急性期の ... 28
- 向精神薬
  - ――，抗精神病薬以外の ... 40
  - ――，不眠に対する ... 126
  - ―― の併用療法，認知機能障害の ... 140
- 好中球減少症 ... 106
- 個人的回復 ... 12

さ

- 産科的合併症のリスク ... 157
- 産後の統合失調症の女性 ... 159

し

- 自我障害 ... 4
- 持効性注射剤 ... 53, 56
- ジスキネジア，遅発性 ... 71
- ジストニア
  - ――，急性 ... 63
  - ――，遅発性 ... 74
- 自閉スペクトラム症との鑑別 ... 9
- 社会機能障害 ... 142
- 社会生活スキルトレーニング ... 15
- 社会的治療 ... 12
- 修正型電気けいれん療法 ... 115
- シュナイダーの統合失調症一級症状 ... 4
- 授乳 ... 159
- 授乳期の統合失調症の女性 ... 159
- 情動表出の減少 ... 6
- 初回エピソード精神病 ... 161, 164
- 職業リハビリテーション ... 16

心筋炎	107
心筋症	107
新生児不適応症候群	155
身体疾患から生じる精神症状との鑑別	8
診断，統合失調症の	5
心理教育	15
心理社会的治療	14
心理的治療	12

す

錐体外路系副作用	61
睡眠衛生指導	128

せ

性機能障害	96
精神運動行動，著しく異常な	6
精神運動興奮状態	146
生物学的治療	12
先天奇形，妊娠中の抗精神病薬曝露と	155

そ

増強療法，クロザピンの	111
双極性障害との鑑別	8
相対的乳児投与量	159
増量，抗精神病薬の	34
疎通性の障害	4

た

胎児への影響	154
体重増加，抗精神病薬による	84
第二世代抗精神病薬	146
耐容性不良の基準，抗精神病薬の	103
多飲水	152
短期精神病性障害との鑑別	7
単剤治療，併用治療と	37
ダントロレン治療	79

ち

知的障害との鑑別	9
遅発性ジスキネジア	52, 61, 71
遅発性ジストニア	61, 74
注意欠如・多動症との鑑別	9
治療効果発現必要症例数	30
治療抵抗性統合失調症	100, 103
治療による害発現必要症例数	30

て

低ナトリウム血症	152
てんかんのもうろう状態	8
電気けいれん療法	78, 113, 117

と

統合失調症	
——，急性期の	28
——，治療抵抗性	100
—— の維持期治療	51, 53
統合失調型パーソナリティ障害	8
統合失調感情障害との鑑別	8
統合失調症認知機能簡易評価尺度	30
統合失調症様障害との鑑別	7
糖尿病	88
投与間隔延長（法）	48, 50
特定妊婦	157
特発性パーキンソン症状	58
ドパミン過感受性精神病	14
頓服薬	130

に

二重盲検試験	31
妊娠，偶発的な	157
妊娠中の統合失調症	154
認知機能障害	14, 139, 142
認知矯正療法	15
認知行動療法	15
認知症	8

ね・の

ネットワークメタ解析	69
脳炎	8
脳炎後遺症	8

は

パーキンソン症状	61
——，特発性	58
——，薬剤性	58
パーソナリティ障害との鑑別	8
発達障害との鑑別	9
発熱，クロザピン誘発性の	109
バルプロ酸の併用，急性期の抗精神病薬治療と	40
反応性不良の基準，抗精神病薬の	103

ひ

ピアサポート	16
肥満	84
非盲検試験	31
標準化平均値差/標準化平均差	31

ふ

不安・不穏 ... 130
副作用
　——，クロザピン治療の ... 106
　——，抗精神病薬の ... 13
服薬アドヒアランス ... 56
　—— の低下 ... 53
不随意運動 ... 71
物質の使用から生じる精神病症状との鑑別 ... 8
不眠 ... 126
プレコックス感 ... 4
ブロイラーの4A症状 ... 4
ブロモクリプチン治療 ... 79

へ

ペアワイズメタ解析 ... 69
併用治療と単剤治療 ... 37
併用療法，クロザピンの ... 111
ベンゾジアゼピン受容体作動薬の併用，
　急性期の抗精神病薬治療と ... 41
便秘，抗精神病薬による ... 90

ま・み

慢性便秘症 ... 90
水中毒 ... 152

む

無顆粒球症 ... 104, 106
無作為化比較試験 ... 31

め・も

メタ解析 ... 30
盲検化 ... 31
妄想 ... 6
妄想性障害との鑑別 ... 7
もうろう状態，てんかんの ... 8
物盗られ妄想 ... 8
問診 ... 5

や

薬原性錐体外路症状評価尺度 ... 31
薬剤性パーキンソン症状 ... 58
薬物治療，統合失調症の ... 13

よ

陽性・陰性症状評価尺度 ... 31
陽性症状 ... 14
要保護児童対策地域協議会 ... 157
抑うつ症状，統合失調症の ... 136

ら・り・ろ

ラモトリギンの併用，急性期の抗精神病薬治療と
　... 41
リカバリー ... 12
リチウムの併用，急性期の抗精神病薬治療と ... 40
流涎 ... 108
臨床的回復 ... 12
ロラゼパム ... 150